OCT 7 '21

D1314197

LA CUISINE
POUR BÉBÉS

LA CUISINE POUR BÉBÉS

Des recettes équilibrées, délicieuses et faciles
à préparer pour initier votre enfant
à une alimentation saine et équilibrée.

Sara Lewis

MANISE

À mes enfants, William, 1 an, qui a savouré toutes
les recettes de ce livre avec le plus grand enthousiasme,
et Alice, 5 ans, la plus « chipoteuse » de tous les enfants.

Première édition en 1995 par Lorenz Books
© Anness Publishing Limited
© 1996, Éditions Manise pour la version française

Directrice éditoriale : Joanna Lorenz
Éditrices de projet : Judith Simons et Emma Wish
Conception artistique : Sue Storey
Photographies : John Freeman
Styliste culinaire : Judy Williams
Cuisinières : Sara Lewis, Jacqueline Clark et Petra Jackson

ISBN : 2-84198-011-1
Dépôt légal : octobre 1996
Imprimé en Chine

Afin que cet ouvrage puisse être utilisé au Canada,
les mesures anglo-saxonnes ont été conservées
et sont systématiquement indiquées entre parenthèses.

TRADUCTION DE ANNE WAGNER

Sommaire

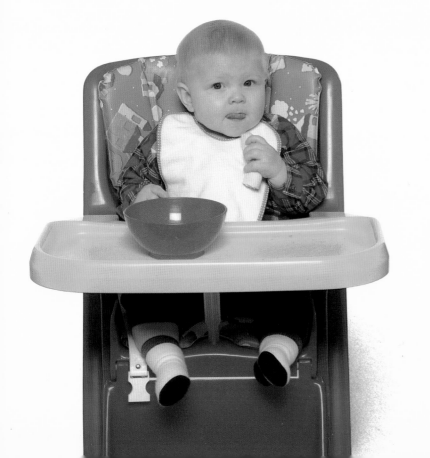

INTRODUCTION

Alimentation, régime et nutrition jouent un rôle essentiel dans les premiers temps de la vie d'un enfant : il est en effet important de lui apporter chaque jour les aliments et les vitamines qui lui garantiront une bonne santé et une croissance harmonieuse jusqu'à l'âge adulte.

Cet ouvrage vous propose tout ce que vous avez besoin de savoir sur l'alimentation de votre enfant pendant les premières années de sa vie. Divisé en trois chapitres faciles à consulter, il contient plus de 200 recettes, toutes illustrées de splendides photos en couleurs.

Au tout début de sa vie, bébé se nourrit uniquement de lait. Mais ses besoins nutritionnels grandissent rapidement. Dès le quatrième mois, la plupart des bébés ont doublé leur poids de naissance : ils sont prêts à découvrir

la saveur d'une purée bien lisse. Ce moment, très important dans le développement de votre bébé, peut en même temps être source de vives préoccupations. Ce livre répondra à vos questions et soulagera vos angoisses… Attention ! Si votre enfant souffre de certaines allergies ou sensibilités alimentaires, vérifiez chaque recette pour en éliminer les ingrédients à risques.

LES PREMIERS REPAS

Dans le premier chapitre de cet

ouvrage, vous trouverez tout ce qu'il faut savoir pour initier bébé aux premières cuillerées de purée, des conseils sur le mode d'alimentation à lui proposer et le rythme de ses repas, ainsi que sur le matériel de base dont vous aurez besoin. Ce chapitre abonde également en recommandations sur ses besoins diététiques et propose tout un choix de recettes savoureuses qui lui feront découvrir des consistances et des goûts nouveaux. Les purées que vous y trouverez conviennent également parfaitement aux bébés qui, en raison

Ci-dessous : Le chapitre 3 vous apprend à préparer des repas variés à partir d'un seul type d'aliments.

d'une allergie au lait, sont nourris au lait de soja infantile : il suffit d'utiliser ce type de lait dans les recettes. Les mines de conseils que vous donnent votre entourage ou les publications spécialisées sont souvent utiles, mais parfois mal adaptés. Cet ouvrage, élaboré à partir des connaissances actuelles dans le domaine de la diététique, se veut judicieux et pratique.

LES REPAS DU PETIT ENFANT

Le deuxième chapitre est consacré à l'alimentation d'un petit enfant plein d'énergie. À ce stade, il commence à manger seul et affirme ses préférences. C'est aussi la période pendant laquelle de nombreux enfants font preuve, au cours des repas, de caprices et de refus. Dans ce chapitre, vous trouverez donc des conseils et des astuces pour l'alimentation du bébé « qui ne mange pas », ainsi que de nombreuses recettes faciles à préparer qui aiguiseront sa curiosité et son appétit.

LES REPAS FAMILIAUX

Dans ce troisième chapitre, les recettes présentées sont conçues de façon à nourrir toute la famille à partir d'aliments qui conviennent à tout le

Ci-dessus et à gauche : *Vous trouverez dans cet ouvrage des conseils et des astuces qui vous aideront à surmonter les aversions et le manque d'appétit de vos enfants.*

monde. Ainsi, pas à pas, vous saurez comment réduire en purées les aliments destinés à bébé, adapter le même repas pour le petit capricieux et, avec quelques ingrédients supplémentaires, transformer cette préparation en un plat plus intéressant pour les parents.

Chez les tout-petits, les lipides constituent une importante source de calories alimentaires. Mais au fur et à mesure de l'évolution de bébé vers un régime mixte, ce sont les glucides qui deviennent les principaux fournisseurs de calories.

Un apport calorique approprié est absolument nécessaire à la croissance. Les lipides constituent une source calorique extrêmement utile, ainsi que la source principale de vitamines liposolubles telles que A, D, E et K. Ils fournissent également les acides gras que le corps ne peut fabriquer lui-même. Il est bon que les lipides nécessaires à l'enfant soient obtenus à partir d'aliments contenant d'autres éléments nutritionnels essentiels : lait entier, fromage, yaourt, viande maigre et petites quantités de poisson gras. Essayez d'inclure des glucides à chaque repas, dès que votre enfant atteint son neuvième mois : pain,

Ci-dessus et ci-dessous : *Entre quatre et six mois, vous constaterez que les bébés commencent à s'intéresser à ce que vous leur proposez !*

L'ALIMENTATION DE VOTRE ENFANT

Les enfants en bas âge ont besoin d'aliments extrêmement nutritifs qui favorisent la croissance. Leurs besoins en protéines et en énergie sont élevés. Ils ont un tout petit estomac, ce qui les empêche de digérer de gros repas. Mais ils sont en général très actifs et dépensent une immense énergie.

Leur appétit peut varier considérablement ; mais la gamme des aliments qui leur conviennent peut également être très réduite. Il est donc essentiel que leurs repas, tout en restant adaptés à ceux qui seront servis à la famille, offrent la variété d'éléments nutritionnels et l'apport calorique requis. Les aliments riches en fibres peuvent se révéler bourratifs, sans vraiment constituer une source suffisante de protéines, vitamines et minéraux.

Ci-dessous : *Il est facile d'apprendre à bébé à prendre plaisir à ses repas.*

pommes de terre, riz ou pâtes, par exemple. Encouragez les enfants en bas âge à manger une grande variété de fruits et de légumes. Comme pour les adultes, essayez de réduire le sel au minimum. Évitez les aliments frits ou très sucrés, que vous réserverez pour certaines occasions.

Il est également bon, lorsque l'enfant approche de l'âge scolaire, de l'orienter graduellement vers un régime moins riche en lipides et plus riche en fibres, plus proche de ce que l'on conseille aux adultes.

Les petits en-cas sont également très importants. Les jeunes enfants ont en effet besoin d'un apport énergétique élevé qu'ils ne peuvent trouver avec trois repas par jour. Essayez de leur proposer des choses saines : minuscules sandwichs au jambon, petits dés de fromage, morceaux de pomme...Un régime sain et équilibré est bien entendu essentiel quelle que soit la tranche d'âge, mais l'importance de la sociabilité ne doit pas être négligée. Nos enfants apprennent tout de nous, il faut donc qu'ils participent le plus souvent possible aux repas familiaux, afin non seulement d'apprendre comment se comporter à table, mais aussi de découvrir que le repas est un moment amical et agréable.

Nous espérons que cet ouvrage contribuera à dissiper les difficultés et les angoisses que vous avez pu éprouver concernant l'alimentation de votre enfant.

Ci-dessus et ci-dessous : *Pour tous les parents, le premier souci est de donner à l'enfant le meilleur départ dans la vie : il est facile de lui assurer l'équilibre alimentaire nécessaire à son développement.*

LES PREMIERS REPAS

Vers le troisième ou le quatrième mois de sa vie, bébé commence à s'adonner (timidement certes) aux joies des aliments solides : c'est une grande étape de son développement ! Il est essentiel que son alimentation lui apporte, d'ores et déjà, les éléments nutritionnels qui formeront la base d'un régime sain et équilibré propice à sa croissance future.

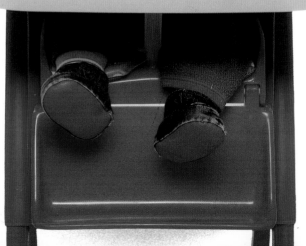

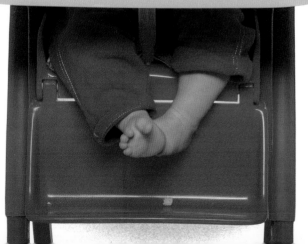

Vous pouvez aussi lui donner le matin un peu de farine dans son biberon (sans gluten jusqu'à 5 mois), mais il ne faut pas donner trop de farine aux bébés. Commencez plutôt par quelques cuillerées de bouillon de légumes bien cuit que vous ajouterez au lait de son biberon. Puis passez à des soupes de légumes progressivement plus épaisses.

Le sevrage

La plupart des bébés sont prêts, vers le quatrième mois, à accepter deux ou trois petites cuillerées de purée, et vers six mois, à apprécier les aliments solides. À cet âge, ils ont besoin, pour se développer et grandir, de l'énergie, des protéines, du fer et des autres éléments essentiels que leur apporte la nourriture solide. C'est également à ce stade qu'ils commencent à mordre et à mastiquer.

Rappelez-vous que chaque bébé a des besoins qui lui sont propres, et ne soyez pas surprise si votre bébé semble prêt aux aliments solides plus tôt ou plus tard que d'autres du même âge. Ne cédez pas aux pressions de votre entourage, fiez-vous à votre intuition et aux réactions du bébé.

QUELS SIGNES SURVEILLER
- Votre bébé semble encore avoir faim après la tétée
- Il réclame plus souvent
- Il se réveille la nuit après plusieurs semaines de nuits complètes
- Il manifeste un intérêt sensible à l'égard de ce que vous mangez
- Il semble nerveux

Si vous observez certains de ces signes, il est probable que votre bébé est prêt à être sevré. Consultez votre pédiatre à ce sujet. Certains gros bébés très affamés manifestent ce besoin avant l'âge de quatre mois ; mais il est recommandé, dans la plupart des cas, d'attendre le quatrième mois, afin que le système digestif soit suffisamment développé pour assimiler une alimentation solide. Tenez compte également des antécédents éventuels d'allergie, d'eczéma ou d'asthme dans votre famille. Certaines études font apparaître que les bébés allaités au sein ou au biberon pendant un peu plus longtemps risquent moins d'être atteints de ces troubles.

À gauche : *Lorsque bébé vous semble prêt, commencez par deux ou trois petites cuillerées de purée. À ce stade, il sera mieux installé sur vos genoux. Il se sentira plus en sécurité si vous l'installez dans la position où vous l'allaitiez.*

Ci-dessous : *Si vous avez des doutes sur le moment convenable pour varier l'alimentation de votre bébé, consultez son pédiatre.*

Ci-dessus : *Votre bébé s'intéressera vite à votre main et à la cuillère, il jouera en mangeant.*

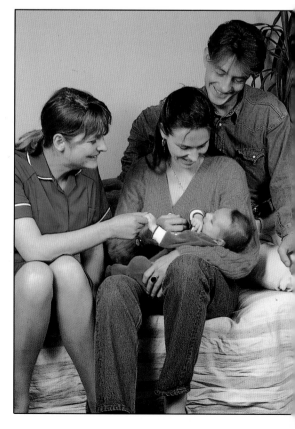

Au début du sevrage, si bébé n'apprécie pas vraiment ce que vous lui proposez, ne vous inquiétez pas : le plus important est qu'il ait fait l'expérience de la petite cuillère. Vers le sixième mois, ses réserves nutritives sont épuisées, la nourriture solide lui devient donc essentielle pour y puiser les minéraux et les vitamines nécessaires à son organisme.

L'ALLAITEMENT

Au début du sevrage, le rythme des tétées reste le même, les aliments solides ne sont qu'un complément. Elles s'espacent ensuite graduellement, mais le lait doit rester un important élément de son régime alimentaire.

Jusqu'à l'âge de six mois, il faut à bébé au moins quatre tétées par jour. À 1 an, il a besoin chaque jour d'au moins 1 litre (2 1/2 tasses) de lait. Le lait lui apporte encore 40% de l'énergie dépensée.

Les diététiciens contemporains s'accordent le plus souvent pour recommander d'éviter le lait de vache dans le biberon principal des enfants de moins de 12 mois. Ce lait, en effet, est trop pauvre en fer et vitamines C et D. Il est parfois conseillé aux mères ayant terminé l'allaitement au sein, de passer à un lait infantile enrichi. Le lait de vache en petites quantités peut être utilisé dans les aliments à partir de six

Ci-dessus : *Chaque enfant est différent. Inutile de s'inquiéter si votre bébé semble prêt à être sevré plus tôt ou plus tard que les autres.*

mois, mais le lait infantile reste préférable.

On peut donner du lait de vache aux enfants dès l'âge de 1 an. Veillez toutefois à ce que le lait soit pasteurisé ou « longue conservation ». Attention, après ouverture, il faut mettre le lait UHT au réfrigérateur.

Certains préfèrent nourrir leurs bébés au lait de chèvre ou de brebis, qu'ils considèrent comme moins allergisants et plus nutritifs : mais ceci reste encore à prouver. Le lait de chèvre ne contient pas suffisamment d'acide folique et ne convient pas aux bébés de moins de six mois. On doit en tout cas toujours le faire bouillir avant de l'utiliser, sauf s'il est vendu pasteurisé.

LE SEVRAGE

Vous pouvez, aussi longtemps que vous le souhaitez, continuer à allaiter votre bébé après avoir commencé le sevrage. Mais les mères qui donnent le sein sont souvent soulagées lorsque le bébé s'intéresse à la petite tasse ou au biberon lors d'un repas « solide » à midi.

Une fois que le bébé s'est habitué aux nouveaux aliments, le nombre de tétées diminue tout naturellement

pendant la journée. Que le bébé soit nourri au biberon, ou bien au sein et au biberon, essayez de le sevrer complètement vers les 12 mois. Sinon il lui sera plus difficile de l'abandonner plus tard…

Une fois que bébé est capable de rester assis et qu'il est habitué à trois repas prin

cipaux par jour, vous pouvez lui apprendre à se servir d'une petite tasse inversable (d'abord pour un seul repas, puis pour deux, etc.). Mais n'oubliez pas de le câliner lorsqu'il boit, afin de préserver le sentiment d'amour et de sécurité qu'il ressent auprès de vous. Certaines déconvenues vous attendent peut-être si bébé fait ses dents ou s'il est malade ; mais ne vous découragez pas et laissez-le vous guider.

Ci-dessus : *Les biberons sont très pratiques, mais essayez de sevrer votre bébé lorsqu'il a 1 an… Plus tard, cela lui sera plus difficile !*

Ci-dessus : *Une période mixte d'alimentation au sein, au biberon et à la cuillère est parfaitement saine et naturelle.*

Comment et quand lui proposer des aliments solides

Beaucoup de parents ont constaté que le meilleur moment, pour l'introduction de nouveaux aliments, est la fin de matinée, après le petit somme du matin. Le bébé est reposé, il a faim sans être trop affamé. Offrez-lui d'abord un demi-biberon, installez-le confortablement et présentez-lui une cuillerée de purée. Puis laissez-le terminer son biberon.

SON CONFORT

Dans les premiers temps, prenez le bébé sur les genoux, mettez-lui un bavoir et protégez-vous d'une serviette. Serrez-le bien pour qu'il se sente en sécurité. Lorsqu'il aura l'habitude de manger à la cuillère, vous pourrez l'installer dans un siège pour bébé. La plupart des bébés ne peuvent s'asseoir dans une chaise haute avant l'âge de six mois.

LES PREMIÈRES CUILLERÉES

Les premiers aliments solides doivent être extrêmement lisses et de goût très neutre. Dès 2 mois et demi, 3 mois, vous pouvez introduire dans deux biberons de la journée quelques cuillerées à café de farine sans gluten. Toutefois, il vaut mieux préparer des biberons au bouillon de légumes dilué de lait que vous épaissirez peu à peu. En une vingtaine de jours, vous

Ci-dessus : *Vers le sixième mois, votre bébé sera capable de rester assis dans une chaise haute en toute sécurité.*

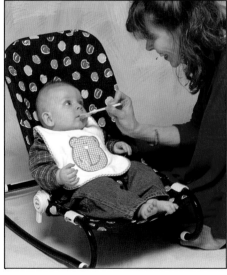

À gauche : *Excellent stade intermédiaire entre les genoux et la chaise haute, le siège pour bébé posé par terre.*

Ci-dessus : *La bouillie doit être tiède, et à peine plus consistante que le lait.*

arriverez sans doute ainsi à lui faire absorber une soupe de légumes épaisse, puis, vingt jours plus tard environ, une purée de légumes. Vérifiez la température en portant à vos lèvres : la purée doit être tout juste tiède. Offrez

à bébé de minuscules quantités sur la pointe d'une petite cuillère.

Apprendre à manger à la cuillère n'est pas simple, et il peut arriver que bébé commence par recracher la purée. Suivez son rythme et ne vous pressez pas. S'il n'apprécie pas, inutile d'insister : donnez-lui sa tétée habituelle. Essayez de nouveau quelques jours plus tard, rien ne presse. Ne le forcez pas, et ne mettez pas d'aliments solides dans le biberon, il pourrait s'étouffer.

Une fois que votre bébé est habitué à l'idée de la cuillère, continuez de lui offrir, à midi, une purée de pommes de

PREMIERS REPAS À LA CUILLÈRE

1 Installez le bébé dans une position familière. Vérifiez la température des aliments.

2 Présentez-lui la cuillère. S'il refuse, n'insistez pas. Recommencez quelques jours plus tard.

3 Une fois que votre bébé a mangé son premier aliment solide, gardez-le sur vos genoux un moment.

terre pendant une semaine ou deux, afin que son système digestif ait le temps de s'accoutumer aux nouveaux aliments.

Vous pouvez alors lui proposer des purées de carottes, de navets et de céleri-rave, ou de la compote de pommes ou de poires. Laissez-vous guider par votre bébé : s'il est réticent, précipiter les choses ne sert à rien, sinon à le dégoûter.

Après trois ou quatre semaines d'essais, vous allez certainement pouvoir lui proposer deux repas solides par jour. Offrez-lui alors deux ou trois petites cuillerées s'il semble en vouloir. Vous pouvez également réduire légèrement la quantité de lait maternel ou infantile dans la purée, et l'épaissir un peu.

S'il aime le goût d'un aliment, offrez-le-lui plusieurs fois de suite avant d'en introduire un autre. S'il recrache quelque chose avec énergie, revenez à un goût plus simple ou essayez de mélanger le nouveau goût à un peu de pomme de terre pour qu'il soit moins prononcé.

Conformez-vous à son rythme et à son appétit : la plupart des bébés arrêtent lorsqu'ils n'ont plus faim. N'essayez pas de le persuader de finir

son bol. Adoptez des horaires qui vous conviennent à tous deux. Il peut se révéler plus facile, dans les premiers temps, de donner à bébé son petit déjeuner avant le réveil des autres enfants, ou après que ceux-ci soient partis à l'école, lorsque tout est tranquille dans la maison.

Après six ou huit semaines de nourriture solide, votre bébé sera certainement prêt à prendre trois repas principaux par jour. Mais là encore, respectez ses besoins et son appétit : ne lui offrez pas ce troisième repas avant qu'il n'y soit prêt. Essayez de les planifier à des intervalles réguliers qui coïncideront plus tard avec les repas familiaux.

CONSEILS
- Laissez-vous guider par le bébé et par votre pédiatre
- Stérilisez tout le matériel avant de l'utiliser
- Ne forcez pas votre bébé s'il n'est pas prêt à la nourriture solide
- Continuez les tétées, et proposez-lui de l'eau préalablement bouillie ou du jus de fruit très dilué
- Faites découvrir à votre bébé un seul aliment à la fois et servez-le-lui jusqu'à ce qu'il soit habitué. S'il n'aime pas, arrêtez quelques jours
- Ne l'oubliez pas, les bébés ne craignent pas la répétition, ils ont vécu de lait pendant des mois !

Ci-dessus : *Vous pouvez, petit à petit, passer de la bouillie à des purées ou à des compotes* *dont vous ferez varier la consistance si votre bébé semble y être prêt.*

LES USTENSILES

Choisissez une petite cuillère douce en matière plastique, de préférence peu profonde afin qu'elle ne blesse pas les gencives du bébé. Les pharmacies et les magasins d'articles pour bébés en vendent. Vous pouvez préparer la purée ou la bouillie dans un petit ramequin en porcelaine ou dans un petit bol en matière plastique. Les petites assiettes creuses en matière plastique dotées de ventouses ou d'un bain-marie conviennent également parfaitement : elles resteront utiles plus tard, lorsque le bébé aura grandi.

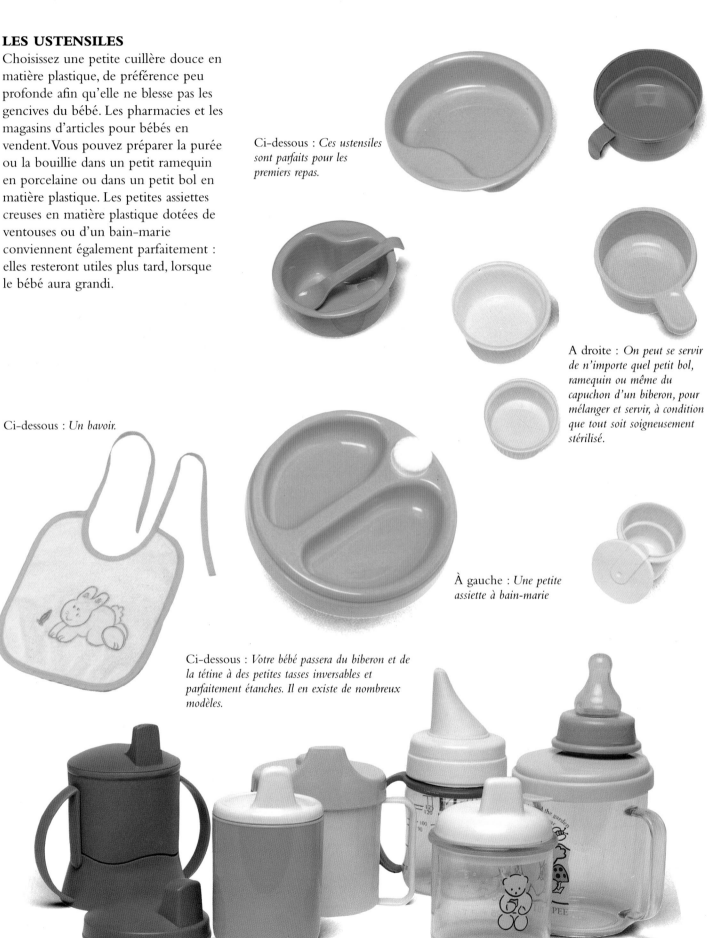

Ci-dessous : *Ces ustensiles sont parfaits pour les premiers repas.*

A droite : *On peut se servir de n'importe quel petit bol, ramequin ou même du capuchon d'un biberon, pour mélanger et servir, à condition que tout soit soigneusement stérilisé.*

Ci-dessous : *Un bavoir.*

À gauche : *Une petite assiette à bain-marie*

Ci-dessous : *Votre bébé passera du biberon et de la tétine à des petites tasses inversables et parfaitement étanches. Il en existe de nombreux modèles.*

LES REPAS DE JUMEAUX

La méthode la plus efficace est certainement d'asseoir chaque enfant dans son propre siège pour bébé et de leur proposer à tous deux les aliments dans un même bol. Les jumeaux risquent de s'énerver si vous êtes obligée de changer chaque fois de bol et de cuillère. Encouragez-les peut-être un peu plus tôt à manger avec les doigts afin de les rendre autonomes : minuscule sandwich au jambon, fleurettes de brocoli ou bâtonnets de carotte cuits…Veillez dans ce cas à leur servir au moins un repas chaud le soir. Attendez que chaque enfant ait terminé son plat principal avant de proposer un dessert. Sans cela, le mangeur hésitant se laissera distraire et demandera lui aussi son dessert.

BOISSONS

Bébé aura progressivement besoin de moins de lait, mais il est important qu'il boive beaucoup. Offrez-lui au moins deux fois à boire pendant la journée, et une fois pendant les repas.

Vous pouvez lui donner :
● du lait : lait maternel, lait infantile ou, s'il a plus d'un an, lait de vache ;
● de l'eau bouillie refroidie ou de l'eau minérale ;
● du jus de fruit pur, sans sucre ajouté et bien dilué.

Vous pouvez arrêter de faire bouillir l'eau destinée à la boisson de bébé ou d'utiliser de l'eau minérale vers 6 ou 7 mois. Laissez cependant l'eau du robinet couler pendant un certain temps avant de la prendre. N'utilisez jamais l'eau chaude du robinet pour les boissons.

Prenez l'avis de votre pédiatre avant de donner de l'eau minérale au bébé ; en effet, les eaux minérales présentent des teneurs en minéraux différentes, et vous devez en choisir une à faible teneur en minéraux, une « eau de source », par exemple.

Certaines boissons à base de fruits font l'objet d'un fort ajout de sucre. Achetez plutôt des jus naturels sans ajout de sucre, de colorant ou de conservateur, ou faites des jus « maison ». On trouve également des petites bouteilles de jus de fruits destinées aux bébés dans les rayons de puériculture ; certaines sont vendues avec des bagues qui permettent de les munir d'une tétine. Dans les premiers temps, coupez-les de trois parts d'eau pour une part de jus. La proportion d'eau peut ensuite être progressivement réduite. Donnez à boire à l'enfant à la fin des repas, une fois qu'il est passé à trois repas principaux par jour.

Ci-dessus : *Les jumeaux doivent être nourris côte à côte, à tour de rôle.*

Ci-dessous : *Les biberons de jus coupent l'appétit.*

Le biberon ne doit jamais être utilisé comme consolation. Et ne laissez pas votre bébé s'endormir le biberon en bouche, en raison du risque de caries dentaires.

Ci-dessus : *Coupez les jus de fruits d'eau bouillie ou d'eau minérale.*

La préparation des aliments

Il est essentiel, à ce premier stade, que les aliments se présentent sous la forme d'une purée extrêmement lisse et onctueuse. La purée est très facile à préparer et de nombreux appareils sont sur le marché. Du point de vue facilité et rapidité, le hachoir est de loin le meilleur outil. Vous pouvez soit utiliser votre robot ou trouver un hachoir autonome. Les robots fonctionnent bien, mais veillez à ce que la purée soit très finement mixée avant de la proposer à bébé, car ces appareils peuvent laisser quelques gros grumeaux, surtout avec de petites quantités d'aliments. Le mixer plongeant, également très utile, présente un avantage supplémentaire : on peut s'en servir directement dans le bol de service. Si vous préférez réduire en purée à la main, servez-vous d'un moulin à légumes ou d'une passoire, efficaces et peu coûteux.

Ci-dessus : *La plupart des mixers et des robots sont dotés d'accessoires pour la confection de purées.*

À gauche : *Un moulin à légumes ou une passoire demandent plus de temps mais donnent d'excellents résultats.*

Ci-dessus : *Avec un robot, vous obtenez une purée parfaite. C'est l'appareil idéal pour les grandes quantités.*

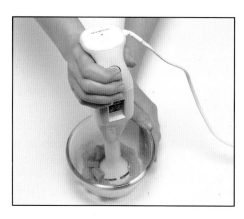

Ci-dessus : *Ce mixer plongeant demande légèrement plus de temps, mais il est facile à nettoyer et à ranger.*

Ci-dessus : *La purée préparée à la main, comme autrefois demande du temps, mais est excellente.*

L'HYGIÈNE ALIMENTAIRE

Les bébés sont vulnérables aux infections, il est donc absolument essentiel, avant la préparation du repas, que tout le matériel soit propre.

● Lavez-vous toujours les mains avant de toucher les aliments ou les ustensiles.

Ci-dessus : *Une règle d'or, lavez-vous toujours les mains avant de nourir le bébé.*

● Les biberons, tétines et couvercles doivent être stérilisés jusque vers 6 ou 7 mois. Bébé est alors vacciné contre la poliomyélite et peut boire du lait de vache. Quant au reste du matériel : petites cuillères, assiettes, accessoires de mixer, il faut les laver et les rincer à l'eau chaude.

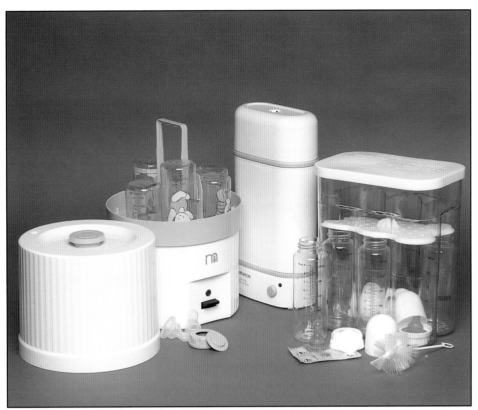

Ci-dessus : *Ébouillantez les grands ustensiles avant 6 mois pour les stériliser.*

À droite : *Toutes les surfaces entourant le bébé doivent rester scrupuleusement propres.*

Ci-dessus : *Les stérilisateurs sont nombreux sur le marché. Ceux-ci ont été spécifiquement conçus pour la stérilisation de biberons et de tétines. Deux sont des stérilisateurs électriques à vapeur. Un récipient classique (à droite) pour le maintien des biberons dans un bain stérilisant à l'eau froide.*

STÉRILISATION À FROID

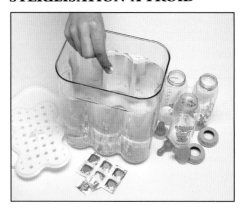

1 Remplissez le bac d'eau froide et placez-y un comprimé stérilisant.

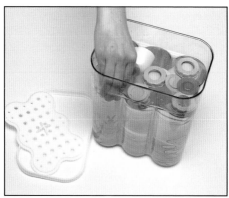

2 Placez dans le bac les objets à stériliser.

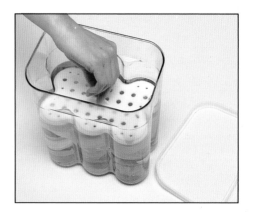

3 Veillez à ne pas laisser d'air dans le bac. Pressez vers le bas à l'aide du « flotteur ».

4 Fermez pendant la durée indiquée dans la notice. Rincez les objets à l'eau bouillante après les avoir sortis.

STÉRILISATION À LA VAPEUR

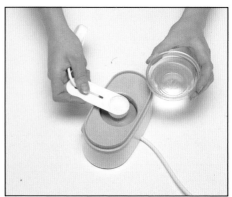

1 Mesurez la quantité d'eau requise et versez-la dans le fond du stérilisateur.

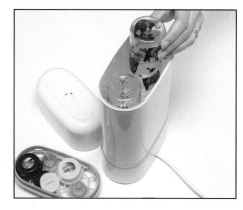

2 Placez les biberons et les tétines dans le bac. Les assiettes ou les bols doivent être stérilisés séparément.

● Les biberons, tétines, etc. doivent être stérilisés jusqu'à ce qu'il se serve d'une tasse.

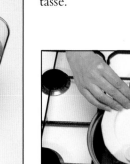

Ci-dessus : *La stérilisation par ébullition demande une vingtaine de minutes.*

● N'utilisez jamais, pour la préparation du repas de bébé, des ustensiles ayant servi à la nourriture d'un animal.

● Une fois les aliments cuits, recouvrez-les d'un couvercle ou d'une assiette et mettez-les au réfrigérateur aussi rapidement que possible. La nourriture destinée à bébé ne doit pas rester à température ambiante pendant plus de 1 h 30.

Ci-dessus : *Recouvrez toujours les aliments (même dans le réfrigérateur).*

LA STÉRILISATION AU FOUR À MICRO-ONDES

Les fours à micro-ondes ne conviennent pas, sans dispositif spécial, à la stérilisation quotidienne. Un grand nombre de services de santé et de puériculteurs mettent en garde contre l'utilisation du micro-ondes à cette fin. Mais on peut faire l'achat d'un dispositif pour stérilisation de biberons au four à micro-ondes. Il est recommandé, en cas d'utilisation, de suivre les consignes du fabricant.

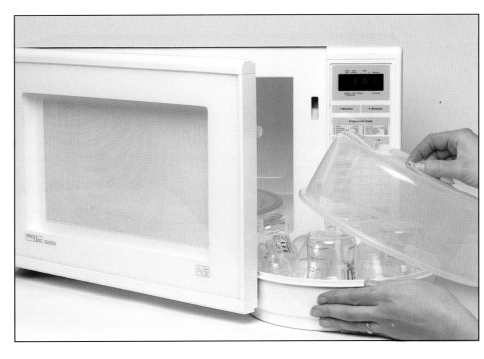

À droite : *Un dispositif spécialement conçu pour le four à micro-ondes.*

LA CUISINE À L'AVANCE

Pour gagner du temps, vous pouvez préparer plusieurs repas à l'avance en congelant de toutes petites portions dans un bac à glaçons : c'est un moyen très pratique lors des premiers mois. Vous pourrez, progressivement, utiliser deux, trois ou quatre cubes par repas.

Stérilisez les bacs à glaçons, versez-y des cuillerées de purée et congelez. Puis sortez les glaçons du bac, mettez-les dans un sachet ou un récipient plastique, scellez, marquez la date et la composition et remettez au congélateur. Essayez de mettre les cubes d'un même aliment dans le même sachet, afin que les goûts ne se mélangent pas. Vous pouvez, à cette fin, recycler également vos pots de yaourt ou de fromage blanc qui ont un couvercle ; ou utiliser des petits bols en plastique jetables. Stérilisez à froid. Couvrez tous les aliments préparés et étiquetez-les clairement afin de savoir ce qu'ils contiennent et la date de congélation.

S'ils sont congelés à -18 °C, la plupart des aliments doivent être consommés dans les trois mois. Laissez décongeler les récipients plastique dans le réfrigérateur pendant la nuit. Les glaçons peuvent être décongelés à température ambiante, dans un bol ou sur une assiette, recouverts d'un film plastique.

LA CUISINE À L'AVANCE : QUELQUES ASTUCES

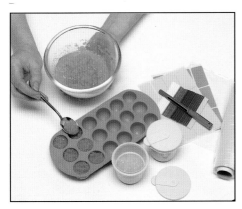

1 Il est plus rapide et bien meilleur marché de préparer à l'avance suffisamment de purée pour plusieurs repas.

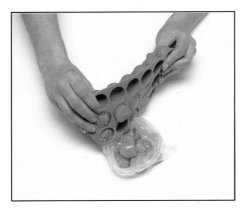

2 Congelez dans un bac à glaçons stérilisé : les glaçons peuvent être conservés dans des sachets de congélation.

3 Veillez à bien marquer, sur les sachets, la date de congélation. Respectez les dates limites de conservation.

PREMIÈRE ÉTAPE : LES NOUVELLES SAVEURS (VERS LE QUATRIÈME MOIS)

Grâce à ses premiers repas solides, votre bébé va découvrir avec délice de nouveaux goûts et de nouvelles consistances. La base lactée de son alimentation reste essentielle, mais ce sont ces nouveaux aliments qui formeront ses habitudes alimentaires futures : il faut donc que ce soit une expérience agréable et positive et que son sens gustatif puisse se développer sur des bases saines et équilibrées. Commencez par lui proposer, une fois par jour, une toute petite cuillerée de bouillie très liquide. Vous pourrez, progressivement, augmenter les quantités pour arriver à deux ou trois repas par jour.

Son alimentation

CE QU'IL PEUT MANGER
● De la farine mélangée à de l'eau, du lait maternel ou du lait infantile
● Des purées de légumes de goût très neutre (tout d'abord de pommes de terre, puis de carottes ou de navets).
● Des compotes de fruits douces et naturelles (pommes, poires).

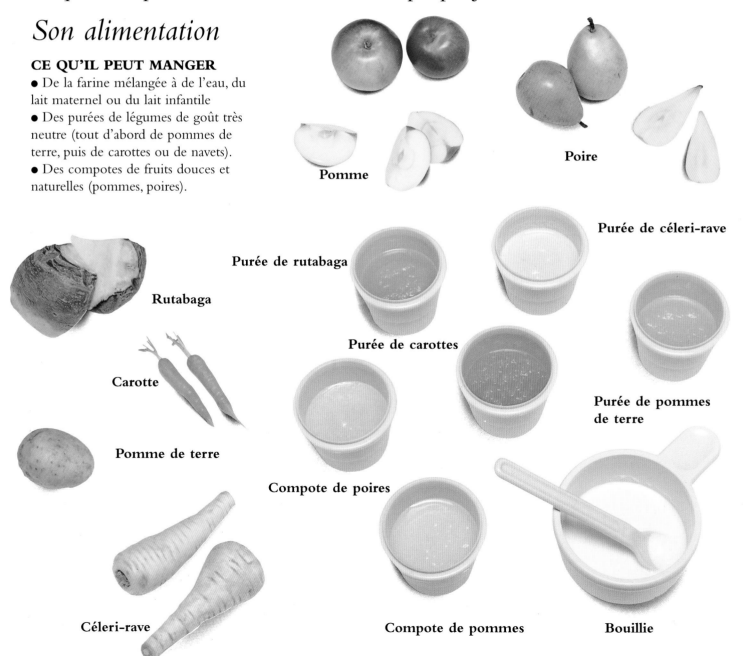

Pomme

Poire

Rutabaga

Carotte

Pomme de terre

Céleri-rave

Purée de rutabaga

Purée de céleri-rave

Purée de carottes

Purée de pommes de terre

Compote de poires

Compote de pommes

Bouillie

CE QU'IL FAUT ÉVITER

● Les aliments épicés

● Le sel. Évitez d'ajouter à sa purée des cubes de bouillon, du jambon ou du saucisson.

● Le lait de vache (remplacez-le dans les premiers mois par du lait maternel ou du lait infantile).

● Les aliments à teneur en gluten, que l'on trouve dans le blé, l'avoine, le seigle et l'orge.

● Les œufs.

● La viande, le poisson, le poulet.

● Les agrumes, qui provoquent des réactions allergiques chez certains.

● Les noix, entières ou pilées.

● Le miel.

● Les aliments gras.

À droite : *Les mets appréciés des adultes (mais à éviter à cet âge).*

Attention ! En cas d'antécédents familiaux d'allergie, votre médecin vous conseillera peut-être d'éviter certains aliments.

Ci-dessus : *Un monde de nouvelles saveurs s'ouvre à bébé : mais procédez graduellement, au moment voulu.*

Les farines

Il existe quatre grandes catégories de farine : à cuire, instantanée, précuite et maltée. Jusqu'à 4 ou 5 mois, il vaut mieux donner des farines sans gluten. La farine de riz est préconisée en cas de diarrhée.

À droite : *Ces purées de légumes simples sont nourrissantes et ne manquent ni de couleur ni de variété.*

Les purées de légumes

Pour environ 60 cl (2 1/2 tasses)

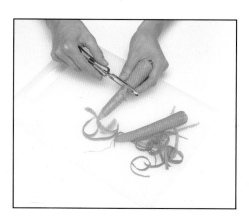

1 Pelez 120 g (4 oz) de pommes de terre, de navets ou de carottes, et coupez-les en petits dés.

● Pour la cuisson au four à micro-ondes : mettez les légumes dans un récipient avec deux cuillerées à soupe de lait maternel ou infantile. Recouvrez d'un film plastique, percez et faites cuire 4 minutes à puissance maximale. Laissez reposer 5 minutes, puis passez au travers d'une passoire et mélangez à un peu de lait. Servez.

2 Faites cuire à la vapeur au-dessus d'une casserole d'eau en ébullition pendant 10 minutes environ.

3 Passez les légumes au travers d'une passoire, mélangez à 4 ou 5 cuillerées à soupe de lait. Versez un peu de la purée dans un bol, vérifiez la température et laissez refroidir s'il le faut. Recouvrez le reste de la purée et mettez-le au réfrigérateur le plus rapidement possible. Consommez-le dans les 24 heures.

À droite : *Ces purées de légumes simples sont nourrissantes et ne manquent ni de couleur ni de variété.*

Compote de poire

Pour environ 15 cl (1/2 tasse)

1 Épluchez une poire mûre, coupez-la en quartiers et ôtez le trognon.

2 Détaillez en tranches et mettez-les dans une casserole avec une cuillerée à soupe d'eau, de lait maternel ou de lait infantile. Couvrez et laissez cuire 10 minutes à feu doux.

● Pour la cuisson au four à micro-ondes : mettez la poire dans un récipient avec de l'eau ou du lait. Recouvrez d'un film plastique, percez et faites cuire 3 minutes à puissance maximale. Laissez reposer 5 minutes, puis passez au travers d'une passoire et mélangez à un peu de lait. Laissez refroidir et servez.

3 Passez au travers d'une passoire. Versez un peu de compote dans un bol, vérifiez la température et laissez refroidir. Couvrez et réfrigérez. Consommez-la dans les 24 heures.

Ci-dessus : *Une compote de poires plaira à votre bébé.*

Compote de melon

Compote de fraises

Ces compotes savoureuses encourageront les bébés les plus difficiles à manger comme des grands.

À droite : *Vers le quatrième ou le cinquième mois, lorsque votre bébé est prêt à manger des aliments solides, commencez par une cuillerée à café, et augmentez progressivement.*

Attention ! *Ne proposez pas de baies aux bébés avant qu'ils aient 5 ou 6 mois. Introduisez ces fruits prudemment, en toutes petites quantités, car certains enfants peuvent y être allergiques et prenez soin de bien passer la purée afin d'en éliminer tous les pépins.*

DEUXIÈME ÉTAPE : VERS LE CINQUIÈME OU LE SIXIÈME MOIS

Bébé est maintenant habitué à deux ou trois repas principaux par jour. Vous pouvez désormais varier son alimentation et l'initier à de nouvelles saveurs. Les purées que vous lui proposez peuvent être légèrement plus épaisses, mais veillez à ne pas y laisser de pépins ou de petits os.

Ses aliments

CE QU'IL PEUT MANGER

● Une plus grande variété de légumes : petits pois frais ou surgelés, maïs, chou-fleur, brocolis, chou, épinards, céleri, champignons, poireau...
● De la volaille
● Du poisson doux, frais ou surgelé (sole, cabillaud, colin, truite)
● De la viande très maigre, en petites quantités
● De petites quantités de légumes secs cuisinés ou en conserve (pois cassés, lentilles, pois chiches, haricots blancs)
● Des fruits plus variés (bananes, abricots, pêches, fraises, framboises, melon. (Attention : ne proposez de baies qu'en très petites quantités, car certains enfants peuvent y être allergiques)
● Céréales sans gluten (riz, Maïzéna)
● Un peu de cacao

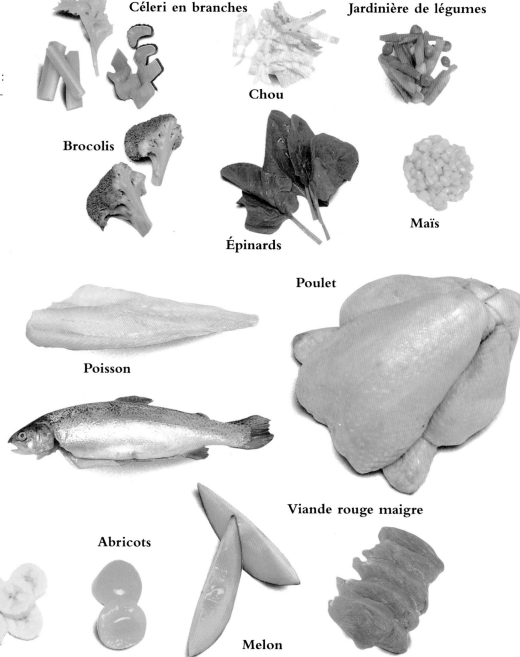

Céleri en branches

Jardinière de légumes

Chou

Brocolis

Épinards

Maïs

Poulet

Poisson

Viande rouge maigre

Prunes

Banane

Abricots

Melon

Ci-dessus : *Ces jeunes « gourmets » sont tout à la joie de la découverte !*

Pois chiches

Cacao

Pois cassés

Fécule

Lentilles

Riz

CE QU'IL FAUT ÉVITER

● Les céréales à forte teneur en gluten, la farine de blé et le pain
● Le lait de vache et les produits laitiers à base de lait de vache
● Les œufs
● Les agrumes

● Les noix, entières ou pilées
● Les aliments gras
● Les produits épicés

Ci-dessous : *Les aliments pour adultes, même s'ils paraissent sains (pain complet, oranges...) doivent encore être évités.*

Réchauffer, congeler et utiliser un four à micro-ondes

POUR RÉCHAUFFER LES ALIMENTS

Il est important de respecter certaines règles, car les aliments tièdes se transforment en foyers bactériens, surtout s'ils restent à découvert dans une cuisine chauffée ou s'ils sont réchauffés à plusieurs reprises.

● Ne réchauffez jamais un plat plus d'une fois.

● Si vous disposez d'une certaine quantité de purée à l'avance, ne réchauffez pas le tout. Prenez-en une partie, et laissez le reste au réfrigérateur, dans un bol couvert. Si votre bébé a encore faim, réchauffez à nouveau quelques cuillerées, et remettez le bol au réfrigérateur.

● Versez une petite quantité de la purée à réchauffer dans un bol stérilisé résistant à la chaleur. Couvrez le bol d'une assiette, et placez-le dans une petite casserole à moitié remplie d'eau en ébullition. Pour réchauffer de plus grandes quantités, versez directement dans une casserole, couvrez et portez à ébullition.

● Veillez à ce que les aliments soient portés à très haute température, afin d'éliminer le risque de bactéries. Il faut atteindre 70 °C (158°F) et maintenir cette chaleur pendant au moins 2 minutes. Retirez du feu et laissez refroidir.

1 Réchauffez la préparation dans un bol stérilisé, recouvert d'une feuille d'aluminium.

2 Mettez le bol dans une casserole à moitié remplie d'eau en ébullition.

3 Pour de grandes quantités, versez dans une casserole et portez à ébullition.

CONGÉLATION

Si vous vous servez du congélateur pour conserver les aliments de bébé, sachez que les préférences de l'enfant quant à la consistance de ses aliments évoluent rapidement.

Il n'est pas simple d'aller faire des achats avec de tout petits enfants, surtout lorsque l'on est fatigué. Le congélateur vous évite d'avoir à sortir trop souvent.

N'oubliez pas de noter la date de congélation. Le tableau ci-dessous vous permettra de vérifier les temps de conservation.

Viande et volaille

Bœuf, agneau	4/6 mois
Porc, veau	4/6 mois
Bœuf haché	3/4 mois
Saucisses, chair à saucisse	2/3 mois
Jambon, lardons	3/4 mois
Poulet, dinde	10/12 mois
Canard, oie	4/6 mois

Poisson

Poisson blanc	6/8 mois
Poisson gras	3/4 mois
Portions de poisson	3/4 mois
Crustacés	2/3 mois

Fruits et légumes

Fruits avec ou sans sucre	8/10 mois
Jus de fruits	4/6 mois
La plupart des légumes	10/12 mois
Champignons, tomates	6/8 mois

Produits laitiers

Crème fraîche	6/8 mois
Beurre doux	6/8 mois
Beurre demi-sel	3/4 mois
Fromage à pâte dure	4/6 mois
Fromage à pâte molle	3/4 mois
Glace	3/4 mois

Plats cuisinés

Repas cuisinés très relevés	2/3 mois
Repas cuisinés moyennement relevés	4/6 mois
Gâteaux	4/6 mois
Pain	2/3 mois
Autres pâtisseries	3/4 mois

COMMENT UTILISER LE FOUR À MICRO-ONDES

Le four à micro-ondes est déconseillé pour le réchauffage. Mais si vous décidez de l'utiliser pour la cuisson, veillez à bien mélanger les aliments une fois la cuisson terminée. Laissez reposer le plat 2 à 3 minutes avant de mélanger à nouveau, afin de répartir la température. Vérifiez-la toujours avant de servir. Choisissez avec soin un récipient approprié au four à micro-ondes : les plats en terre cuite, par exemple, peuvent devenir très chauds au toucher. Les plats en Pyrex ou en matière plastique sont les mieux adaptés : leur contenu se réchauffe rapidement, mais ils restent relativement tièdes.

En haut : *Le four à micro-ondes est très pratique. On peut s'en servir pour réchauffer le lait et les boissons (sauf pour les nouveau-nés) ; et pour décongeler, réchauffer et faire cuire des aliments.*

1 Recouvrez le bol d'un film plastique, percez et mettez au four.

2 Sortez du four et mélangez.

QUELQUES CONSEILS

● Ne réchauffez jamais aux micro-ondes le lait destiné à un nouveau-né ou un nourrisson.

● Pour les enfants un peu plus âgés, réchauffez le lait dans un biberon sans la tétine pendant 30 à 45 secondes. Agitez le biberon et vérifiez la température du lait (et non du récipient). Laissez tiédir. Consultez votre pédiatre à ce sujet.

● Pour décongeler les glaçons d'aliments pour bébés, mettez-les dans un bol que vous recouvrez de film plastique. Réglez le four sur « décongélation » et laissez décongeler de 1 à 2 minutes. Mélangez soigneusement, puis remettez le bol dans le micro-ondes à puissance maximale, pendant 1 minute. Mélangez de nouveau pour répartir la chaleur.

Purée de légumes

Pour 60 cl (2 1/2 tasses)

120 g (4 oz) de carottes	
120 g (4 oz) de navets	
120 g (4 oz) de céleri-rave	
120 g (4 oz) de pommes de terre	
30 cl (1 1/4 tasse) de lait infantile	

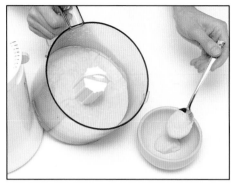

5 Couvrez le reste de la purée et réfrigérez dès que possible. Consommez-le dans les 24 heures.

• Se prête à la congélation.

4 Versez une petite quantité de purée dans un bol. Servez tout juste tiède.

ASTUCE
Délayez la purée avec un peu de lait supplémentaire si votre bébé préfère les purées très liquides.

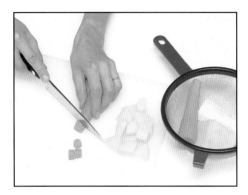

1 Épluchez les légumes et mettez-les dans une passoire. Rincez, égouttez et coupez-les en petits morceaux.

2 Mettez les légumes dans une casserole avec le lait, portez à ébullition, couvrez et faites cuire 20 minutes à feu doux, jusqu'à ce qu'ils soient bien tendres.

3 Réduisez la préparation en purée jusqu'à obtention d'une consistance lisse et onctueuse.

Purée jardinière

Pour 60 cl (2 1/2 tasses)

120 g (4 oz) de carottes
175 (6 oz) de pommes de terre
120 g (4 oz) de brocolis
60 g (2 oz) de chou vert
30 cl (1 1/4 tasse) de lait infantile

1 Pelez carottes et pommes de terre, passez à l'eau, coupez en dés et mettez dans une casserole. Lavez les brocolis, et coupez-les en « bouquets ». Lavez le chou et coupez-le en lanières fines.

2 Versez le lait dans la casserole, portez à ébullition et faites cuire 10 minutes à feu doux.

3 Ajoutez les brocolis et le chou, couvrez et laissez cuire 10 minutes environ, jusqu'à ce que les légumes soient tous tendres.

4 Réduisez la préparation jusqu'à obtention d'une consistance lisse et onctueuse.

5 Versez une petite quantité de purée dans un bol. Servez tout juste tiède.

6 Couvrez le reste de la purée et réfrigérez dès que possible. Consommez-le dans les 24 heures.

• Se prête à la congélation

Purée de carottes aux lentilles et à la coriandre

Pour 60 cl (2 1/2 tasses)

350 g (12 oz) de carottes
170 g (6 oz) de pommes de terre
60 g (2 oz) de lentilles roses
1/2 cuillerée à café de coriandre en poudre
30 cl (1 1/4 tasse) de lait infantile

1 Épluchez pommes de terre et carottes, coupez-les en petits dés et mettez-les dans une casserole. Rincez les lentilles abondamment à l'eau froide.

2 Dans la casserole, mettez les lentilles, la coriandre et le lait, portez à ébullition, puis couvrez et laissez cuire 40 minutes à feu doux. Ajoutez un peu d'eau bouillante s'il le faut.

ASTUCE

La purée épaissit en refroidissant : il faudra donc, avant de réchauffer le reste pour le repas suivant, la délayer légèrement avec un peu de lait infantile.

3 Réduisez la préparation jusqu'à obtention d'une consistance lisse et onctueuse.

4 Versez une petite quantité de purée dans un bol. Servez tout juste tiède.

5 Couvrez le reste de la purée et réfrigérez dès que possible. Consommez dans les 24 heures.

• Se prête à la congélation.

Purée de riz aux poivrons rouges

Pour 60 cl (2 1/2 tasses)

60 g (2 oz) de riz long grain
30 cl (1 1/4 tasse) de lait infantile
90 g (3 oz) de poivron rouge
90 g (3 oz) de courgette
60 g (2 oz) de céleri

1 Mettez le riz et le lait dans une casserole, portez à ébullition et laissez cuire 5 minutes à feu doux, sans couvrir.

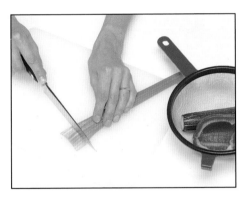

2 Épépinez le poivron, coupez les parties sableuses de la courgette et du céleri. Mettez les légumes dans une passoire et passez-les à l'eau froide. Coupez-les en petits morceaux.

3 Ajoutez les légumes au riz, portez à ébullition, couvrez et laissez cuire à petit feu pendant environ 10 minutes.

• Se prête à la congélation

4 Réduisez la préparation en purée jusqu'à obtention d'une consistance lisse et onctueuse.

5 Versez une petite quantité de purée dans un bol. Servez tout juste tiède.

6 Couvrez le reste de la purée et réfrigérez dès que possible. Consommez-le dans les 24 heures.

Purée de navets aux brocolis

Pour 60 cl (2 1/2 tasses)

| 230 g (8 oz) de navets |
| 120 g (4 oz) de brocolis |
| 30 cl (1 1/4 tasse) de lait infantile |

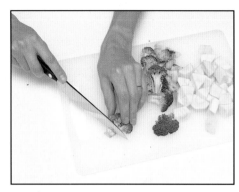

1 Épluchez les navets et mettez-les dans une passoire avec les brocolis. Passez à l'eau froide. Coupez les navets en dés, séparez les fleurettes des brocolis et émincez les tiges.

2 Mettez les navets dans une casserole avec le lait, portez à ébullition, couvrez et laissez cuire 10 minutes à feu doux.

3 Ajoutez les brocolis et laissez cuire encore 10 minutes à feu doux, jusqu'à ce que tous les légumes soient tendres.

4 Réduisez la préparation en purée jusqu'à obtention d'une consistance onctueuse.

5 Versez une petite quantité de purée dans un bol. Servez tout juste tiède.

6 Couvrez le reste de la purée et réfrigérez dès que possible. Consommez-le dans les 24 heures.

• Se prête à la congélation.

Purée de carottes et de maïs à la dinde

Pour 60 cl (2 1/2 tasses)

180 g (6 oz) de pommes de terre
180 g (6 oz) de carottes
120 g (4 oz) de blanc de dinde désossé, sans peau
50 g (2 oz) de maïs
30 cl (1 1/4 tasse) de lait infantile

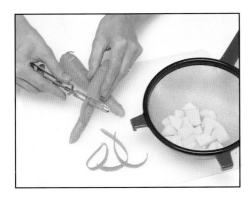

1 Épluchez pommes de terre et carottes, passez-les à l'eau froide et coupez-les en petits dés.

2 Coupez la dinde en fines lanières. Mettez-la dans une casserole avec les pommes de terre et les carottes.

ASTUCE

Vous pouvez, si vous le souhaitez, mettre la dinde et les légumes dans une petite cocotte, dans un four préchauffé à 180 °C (350°F) et laissez cuire pendant 1 heure.

3 Ajoutez le maïs et le lait. Couvrez et faites cuire 20 minutes à feu doux, jusqu'à ce que la dinde soit tendre. Réduisez en purée jusqu'à obtention d'une consistance lisse et onctueuse.

4 Versez une petite quantité de purée dans un bol. Servez tout juste tiède.

5 Couvrez le reste de la purée et réfrigérez dès que possible. Consommez-le dans les 24 heures.

• Se prête à la congélation.

Purée de navets au poulet

Pour 60 cl (2 1/2 tasses)

350 g (12 oz) de navets
120 g (4 oz) de blanc de poulet désossé, sans peau
30 cl (1 1/4 tasse) de lait infantile

1 Pelez les navets et ôtez-en les parties ligneuses. Passez-les à l'eau et coupez-les en dés.

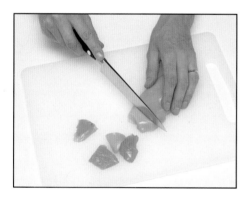

2 Découpez le poulet en petits morceaux.

3 Mettez les navets, le poulet et le lait dans une casserole. Couvrez et faites cuire 20 minutes à feu doux.

4 Réduisez en purée jusqu'à obtention d'une consistance lisse et onctueuse.

5 Versez un peu de purée dans un bol. Servez tout juste tiède.

6 Couvrez le reste de la purée et réfrigérez dès que possible. Consommez-le dans les 24 heures.

• Se prête à la congélation

ASTUCE
Pour obtenir une purée onctueuse, versez dans un robot ménager tout le liquide de cuisson et la moitié de la préparation, mixez jusqu'à ce que la consistance soit bien lisse, puis ajoutez le reste de la préparation. Avec un mixer, versez toute la préparation et un peu de liquide de cuisson, écrasez jusqu'à ce que la consistance soit bien lisse, puis ajoutez le reste du liquide.

Mousseline au poulet et aux poireaux

Pour 60 cl (2 1/2 tasses)

120 g (4 oz) de blanc de poulet
désossé, sans peau

60 g (2 oz) de poireaux

300 g (10 oz) de pommes de terre

30 cl (1 1/4 tasse) de lait infantile

4 Portez à ébullition, couvrez et laissez cuire environ 20 minutes à feu doux. Réduisez la préparation en purée jusqu'à obtention d'une consistance lisse et onctueuse.

5 Versez une petite quantité de purée dans un bol. Servez tout juste tiède. Consommez le reste dans les 24 heures.

• Se prête à la congélation.

1 Coupez les poireaux en deux dans le sens de la longueur et nettoyez-les sous l'eau froide.

2 Épluchez les pommes de terre et coupez-les en dés. Découpez le poulet en morceaux. Émincez les poireaux.

ASTUCE

Vous pouvez varier la consistance de cette purée en choisissant l'appareil approprié. C'est la passoire qui vous permettra d'obtenir la purée la plus lisse. La consistance est un peu plus irrégulière avec le mixer et le moulin à légumes donne la préparation la plus homogène. Les féculents ont pour effet d'épaissir et de lier la purée, mais veillez à ce que les légumes soient bien cuits avant de les réduire en purée.

3 Mettez l'ensemble dans une casserole et ajoutez le lait.

Mousseline aux courgettes et au poisson

Pour 60 cl (2 1/2 tasses)

120 g (4 oz) de filet de truite
300 g (10 oz) de pommes de terre
180 g (6 oz) de courgettes
25 cl (1 tasse) de lait infantile

1 Épluchez les légumes. Passez sous l'eau. Coupez les pommes de terre en dés, et les courgettes en tranches fines.

2 Mettez les légumes dans une casserole. Découpez la truite en filets en enlevant les arêtes. Placez les filets au-dessus des légumes. Ajoutez le lait. Portez à ébullition, couvrez et laissez cuire 15 minutes à feu doux.

3 Sortez la truite de la casserole. Avec un couteau et une fourchette, émiettez le poisson et vérifiez qu'il ne reste aucune arête.

5 Versez une petite quantité de purée dans un bol. Servez tout juste tiède.

6 Couvrez le reste de la purée et réfrigérez dès que possible. Consommez-le dans les 24 heures.

• Se prête à la congélation.

4 Réduisez la préparation en purée avec le liquide de cuisson.

Mousseline au maïs et au poisson

Pour 60 cl (2 1/2 tasses)

100 g (3 1/2 oz) de cabillaud
350 g (12 oz) de pommes de terre
60 g (2 oz) de petits pois
2 cuillerées à soupe de maïs
30 cl (1 1/4 tasse) de lait infantile

1 Épluchez les pommes de terre et passez-les à l'eau froide. Coupez-les en petits dés. Mettez dans une casserole avec les autres ingrédients.

2 Portez à ébullition, couvrez et laissez cuire 15 minutes environ à feu doux.

3 Sortez le poisson et émiettez-le avec une fourchette et un couteau. Vérifiez qu'il ne reste aucune arête.

4 Réduisez la préparation en purée avec le liquide de cuisson.

5 Versez une petite quantité de purée dans un bol. Servez tout juste tiède.

6 Couvrez le reste de la purée et réfrigérez dès que possible. Consommez-le dans les 24 heures.

• Se prête à la congélation.

Mousse de pomme

Pour 30 cl (1 1/4 tasse)

1 pomme

30 g (1 oz) de farine de riz

30 cl (1 1/4 tasse) de lait infantile

1 Épluchez la pomme et ôtez-en le trognon. Coupez-la en quartiers, puis en tranches fines et mettez-la dans une casserole avec la farine et le lait.

2 Portez à ébullition, puis laissez cuire de 10 à 12 minutes à feu doux, jusqu'à ce que la farine de riz soit molle. Remuez de temps en temps avec une cuillère en bois.

3 Réduisez en purée jusqu'à obtention d'une consistance bien onctueuse.

4 Versez une petite quantité de mousse dans un bol. Servez tout juste tiède. Couvrez le reste de la mousse et réfrigérez dès que possible. Consommez-le dans les 24 heures.

VARIANTE

Dessert au chocolat

Faites cuire la farine de riz comme dans la recette, mais sans la pomme. Incorporez 30 g (1 oz) de cacao en poudre et une cuillerée à soupe de sucre vanillé dans la bouillie chaude. Réduisez en purée jusqu'à obtenir une consistance moelleuse. Versez dans de petits ramequins et laissez refroidir.

Mousse de fruits variés

Pour 35 cl (1 1/2 tasse)

1 brugnon ou 1 pêche
1 pomme
1 poire mûre
30 g (1 oz) de fraises ou de framboises fraîches ou surgelées

1 Coupez en deux, dénoyautez, pelez et coupez la pêche ou le brugnon en petits morceaux. Épluchez et épépinez la pomme, coupez-la en tranches fines.

2 Mettez les fruits épluchés dans une casserole, avec les framboises ou les fraises et 1 cuillerée à soupe d'eau. Couvrez et faites cuire environ 10 minutes à feu doux, jusqu'à ce que les fruits soient bien tendres.

3 Réduisez en purée et débarrassez la mousse des pépins qui pourraient y rester.

4 Versez une petite quantité de mousse dans un bol. Servez tout juste tiède.

5 Couvrez le reste de la mousse et réfrigérez dès que possible. Consommez-le dans les 24 heures.

• Se prête à la congélation.

ASTUCE
Les bébés ne mangent généralement que peu de dessert. Congelez donc le reste de mousse dans un bac à glaçons stérilisé. Conservez les glaçons dans un sachet plastique.

VARIANTE
Mousse de pêche et de melon
Pour environ 20 cl (3/4 tasse), prenez une pêche mûre et 1/4 de melon. Pelez la pêche, dénoyautez-la et coupez le fruit en petits morceaux. Pelez et égrenez le melon. Coupez-le en dés. Réduisez la préparation en purée jusqu'à obtention d'une consistance lisse et onctueuse. Versez un peu de la mousse dans un bol et servez.

TROISIÈME ÉTAPE : DE SIX À NEUF MOIS

La purée de votre bébé peut être mixée ou simplement moulinée, mais il faut encore qu'elle soit lisse. Vous pouvez introduire quelques tout petits morceaux, mais laissez-vous guider par ses préférences : comme toujours, n'allez pas trop vite et respectez le rythme de l'enfant. À ce stade, il commence à aimer tenir lui-même une petite cuillère. Il saura bientôt se nourrir tout seul, comme un grand. Toutes les recettes du chapitre précédent lui conviennent encore : il suffit d'en épaissir légèrement la consistance.

Ses aliments

CE QU'IL PEUT MANGER

● Des aliments à base de blé : pâtes, pain (par exemple des mouillettes de pain grillé ou des gressins italiens)
● Des farines de petit déjeuner (flocons d'avoine ou semoules) préparées avec du lait de vache
● Des produits laitiers à base de lait de vache : yaourt, fromage blanc, gruyère...
● De la viande rouge, maigre de préférence
● Des jaunes d'œufs durs
● Des agrumes
● Des bâtonnets de carotte ou de brocolis cuits

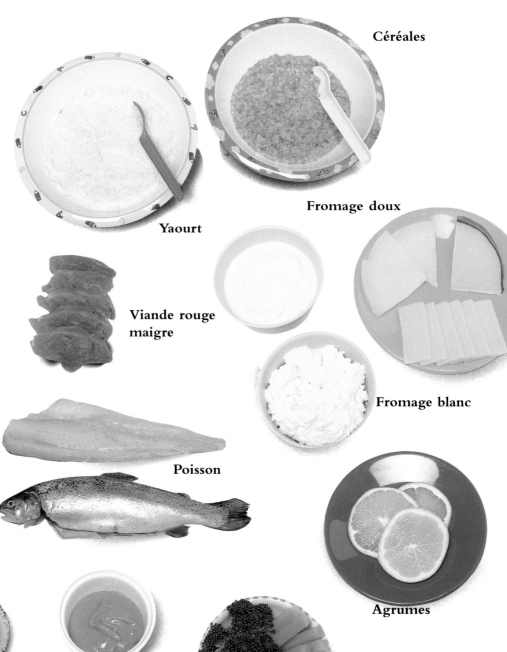

Céréales

Fromage doux

Yaourt

Viande rouge maigre

Fromage blanc

Pain

Poisson

Pâtes

Agrumes

Jaune d'œuf cuit

Beurre de cacahuète

Brocolis et carottes

Ci-dessus : *Entre six et neuf mois, votre enfant sera ravi de découvrir les pâtes et le fromage.*

CE QU'IL FAUT ÉVITER
- Le blanc d'œuf
- Les noix entières ou concassées
- Le poisson conservé en saumure
- Les abats (foie, rognons...)
- Les aliments très épicés
- Les aliments salés
- Les sucreries

À droite : *De nombreux aliments gras, salés ou épicés sont encore à éviter.*

Le choix d'une chaise haute

Les magasins regorgent de chaises hautes, toutes différentes, et dont le prix peut varier du simple au double. Prenez votre temps avant de choisir.

CHAISES TRANSFORMABLES

Conçues pour les bébés de quatre semaines à six mois, ces chaises peuvent être converties de chaise haute en transat. Certains modèles peuvent également se transformer en siège à bascule. Achetez-en une très tôt, vous pourrez ainsi en tirer le maximum de profit. Seul inconvénient, l'espace nécessaire pour déployer la chaise. La facilité de transformation varie entre les modèles : il vaut donc mieux les essayer dans le magasin, avant d'acheter.

LES CHAISES « TROIS-EN-UN »

On trouve dans les magasins plusieurs modèles qui se transforment en chaise basse, chaise basse avec tablette ou chaise haute. Certaines versions présentent des fixations par cliquets, faciles à manier, d'autres demandent un tournevis. Leur structure est en général bien rigide, et les sièges, très confortables, sont dotés de revêtements gais et pimpants. On les trouve avec finitions bois ou laquées blanc. La chaise basse (sans tablette) convient aux enfants jusqu'à l'âge de 4 ans.

LES CHAISES RELEVABLES

Ces chaises légèrement plus coûteuses se transforment de chaise haute en chaise basse. Certains modèles sont dotés d'une tablette à profondeur réglable. Les structures sont en général métalliques, laquées blanc, les sièges confortables et de couleurs vives.

Chaise « trois-en-un »

Chaise relevable

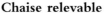

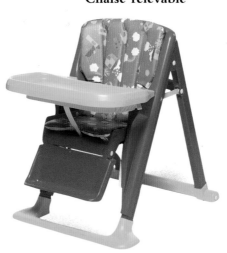

QUELQUES CONSEILS
● Pour bien tirer profit de la chaise haute, commencez par installer bébé sur un coussin pour le rehausser. Réglez également, si possible, la position de la tablette.
●Vérifiez que la chaise est facile à entretenir (les restes de purée desséchée sont souvent difficiles à faire disparaître). Surveillez les rebords et les recoins, « pièges à saletés » éventuels, sur le siège ou autour des fixations de la tablette.
●Veillez à ce que la chaise soit robuste et stable (elle sera maltraitée !)

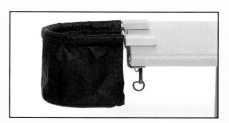

Ci-dessus : *Siège de table*

● Si vous utilisez un siège de table se fixant par des embouts de caoutchouc, veillez à ce que la table soit assez résistante pour supporter le poids de l'enfant. Ne fixez jamais ce type de chaise sur du verre.

CHAISES PLIANTES

Ces chaises un peu moins coûteuses, avec finition bois ou laqué blanc, se replient sur elles-mêmes. Certaines peuvent être pliées transversalement pour s'adapter au coffre d'une voiture. Avant d'acheter, vérifiez la facilité de pliage, ainsi que la rigidité de la structure une fois la chaise dépliée.

Chaise pliante

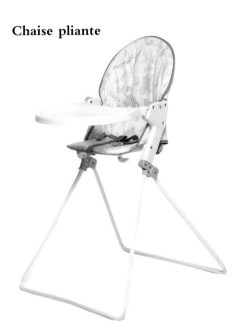

CHAISES RUSTIQUES

Ce sont des chaises hautes en bois, très robustes, le plus souvent dotées d'une tablette en bois et d'un bâti de style traditionnel. Les sièges étant durs, on peut y rajouter un coussin.

SIÈGES PORTATIFS

Il en existe deux modèles de base :
● le porte-bébé très simple, en toile, utile pour sortir chez des amis ou au restaurant : il se replie facilement et tient dans un sac. Mais on ne peut l'utiliser pour tous les jours, car l'enfant est littéralement attaché au siège et ne peut atteindre la table pour se nourrir lui-même.
● les sièges de table fixés à celle-ci par des embouts de caoutchouc. Vérifiez que la table est suffisamment solide et qu'elle ne risque pas de se renverser.

1 Défaire les clips d'attache en pressant des deux côtés à la fois, et replier la tablette vers le haut.

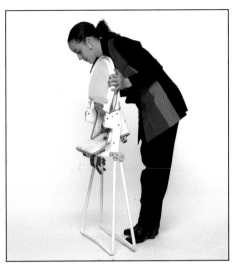

2 Défaire les clips de côté pour pouvoir plier la chaise.

3 Vous pouvez ainsi replier la chaise sur elle-même : ce type de modèle est extrêmement rationnel et compact.

4 Vous pouvez maintenant la ranger ou la mettre dans le coffre de la voiture.

QUELQUES CONSEILS
● N'oubliez jamais la ceinture de maintien. La plupart des chaises hautes sont équipées d'une ceinture avec retenue entrejambe, sinon il vous faudra acheter des sangles qui se fixent sur la chaise. L'agilité dont peut faire preuve un bébé pour sortir de sa chaise haute est absolument incroyable.
● Ne laissez jamais l'enfant dans sa chaise haute sans surveillance.

Ci-dessus : *N'oubliez jamais d'attacher bébé.*

Purée Parmentier

Pour 60 cl (2 1/2 tasses)

120 g (4 oz) de bœuf haché maigre
2 tomates
1/4 d'oignon
230 g (8 oz) de pommes de terre
60 g (2 oz) de champignons de Paris
25 cl (1 tasse) d'eau
1 cuillerée à soupe de coulis et de sauce tomate
1 pincée d'herbes de Provence séchées

4 Ajoutez tomates, pommes de terre, champignons et oignons, et laissez cuire 3 minutes encore. Remuez bien pour mêler les saveurs.

5 Ajoutez l'eau, la sauce tomate et les herbes. Portez à ébullition, couvrez, et faites cuire environ 40 minutes à feu doux, jusqu'à ce que la viande et les légumes soient bien cuits.

6 Réduisez la préparation en purée jusqu'à obtention de la consistance voulue.

7 Versez une petite quantité de purée dans un bol. Servez tout juste tiède.

8 Couvrez le reste de purée et réfrigérez dès que possible. Consommez-le dans les 24 heures.

1 Entaillez les tomates, et mettez-les dans une casserole d'eau bouillante pendant une minute, puis pelez-les. Coupez-les en quartiers et épépinez-les.

2 Hachez finement l'oignon, coupez les pommes de terre en petits dés et les champignons en fines lamelles.

3 Faites revenir la viande dans une poêle antiadhésive. Laissez dorer en remuant sans cesse.

• Se prête à la congélation.

Purée de bœuf braisé aux carottes

Pour 60 cl (2 1/2 tasses)

180 g (6 oz) de gîte de bœuf
180 g (6 oz) de pommes de terre
230 g (8 oz) de carottes
1/4 d'oignon
30 cl (1 1/4 tasse) d'eau
1 pincée d'herbes de Provence séchées

1 Préchauffez le four à 180 °C (350°F). Épluchez les pommes de terre, les carottes et l'oignon, coupez-les en petits morceaux et versez le tout dans une cocotte.

2 Enlevez le gras de la viande et découpez-la en petits dés avec un couteau bien tranchant.

3 Ajoutez l'eau, la viande et les herbes dans la cocotte, portez à ébullition, couvrez et laissez cuire au four pendant 1 heure 1/4, ou jusqu'à ce que la viande et les légumes soient vraiment tendres.

4 Réduisez en purée jusqu'à obtention de la consistance voulue. Versez une petite quantité de purée dans un bol. Servez tout juste tiède.

5 Couvrez le reste de la purée et réfrigérez dès que possible. Consommez-le dans les 24 heures.

• Se prête à la congélation.

ASTUCE

Vous pouvez remplacer les carottes par d'autres légumes : navet ou céleri-rave, par exemple.

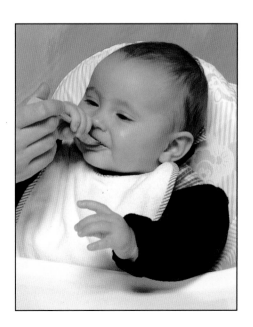

Agneau et légumes en purée

Pour 60 cl (2 1/2 tasses)

120 g (4 oz) d'agneau désossé
120 g (4 oz) de pommes de terre
120 g (4 oz) de carottes
120 g (4 oz) de céleri-rave
60 g (2 oz) de poireaux
30 cl (1 1/4 tasse) d'eau
1 pincée de romarin séché

1 Épluchez pommes de terre, carottes et céleri-rave, passez-les sous l'eau et découpez-les en petits dés. Coupez les poireaux dans le sens de la longueur, rincez-les et émincez-les. Mettez tous les légumes dans une casserole.

2 Coupez l'agneau en petits morceaux, en enlevant le gras.

3 Mettez la viande, l'eau et le romarin dans la casserole. Portez à ébullition, couvrez et faites cuire 30 minutes à feu doux, jusqu'à ce que l'agneau soit bien tendre.

4 Passez au mixer ou écrasez pour obtenir la consistance voulue.

5 Versez une petite quantité de purée dans un bol. Servez tout juste tiède.

6 Couvrez le reste de la purée et réfrigérez dès que possible. Consommez-le dans les 24 heures.

• Se prête à la congélation.

Agneau aux lentilles en purée

Pour 60 cl (2 1/2 tasses)

120 g (4 oz) d'agneau
120 g (4 oz) de céleri-rave
1 branche de céleri
2 cuillerées à soupe de lentilles roses ou de lentilles vertes du Puy
1 cuillerée à soupe de coulis et de sauce tomate
35 cl (1 1/2 tasse) d'eau

1 Enlevez le gras de l'agneau et découpez-le en petits morceaux. Épluchez le céleri-rave et mettez-le dans une passoire avec la branche de céleri. Passez à l'eau froide, découpez en petits morceaux et mettez dans une casserole.

2 Versez les lentilles dans une passoire, triez-les et passez-les sous l'eau froide. Ajoutez-les dans la casserole avec l'agneau et le coulis de tomate.

3 Versez l'eau, portez à ébullition, couvrez et faites cuire 40 minutes à feu doux, jusqu'à ce que les lentilles soient très tendres. Rajoutez de l'eau pendant la cuisson s'il le faut. Réduisez en purée jusqu'à obtention de la consistance voulue.

4 Versez une petite quantité de purée dans un bol. Servez tout juste tiède.

5 Couvrez le reste de la purée et réfrigérez dès que possible. Consommez-le dans les 24 heures.

• Se prête à la congélation.

VARIANTE

Vous pouvez remplacer les lentilles roses par des lentilles vertes du Puy ou des pois cassés, et le céleri en branche par une petite courgette.

Porc et haricots verts en purée

Pour 45 cl (1 7/8 tasse)

120 g (4 oz) de porc maigre désossé
120 g (4 oz) de pommes de terre
120 g (4 oz) de carottes
90 g (3 oz) de haricots verts
1 pincée de sauge séchée
35 cl (1 1/2 tasse) d'eau

3 Mettez le porc, les pommes de terre et les carottes dans une casserole, avec la sauge et l'eau. Portez à ébullition, couvrez et faites cuire 30 minutes à feu doux.

4 Ajoutez les haricots et laissez cuire encore 10 minutes, jusqu'à ce que tous les légumes soient tendres.

5 Réduisez la préparation en purée jusqu'à obtention de la consistance voulue. Versez une petite quantité de purée dans un bol. Servez tout juste tiède.

6 Couvrez le reste de la purée et réfrigérez dès que possible. Consommez-le dans les 24 heures.

• Se prête à la congélation.

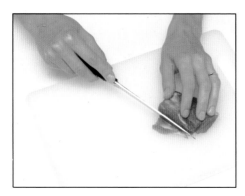

1 Découpez le porc en petits dés et enlevez le gras.

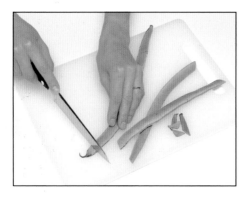

2 Épluchez pommes de terre et carottes, coupez-les en dés et effilez les haricots verts.

ASTUCE
Vous pouvez remplacer le porc par de la viande maigre (poulet ou dinde) et les haricots verts par des fèves écossées.

Purée de porc à la pomme

Pour 60 cl (2 1/2 tasses)

180 g (6 oz) de porc maigre désossé
180 g (6 oz) de pommes de terre
180 g (6 oz) de céleri-rave
ou de navets
1/4 d'oignon
1/4 pomme
30 cl (1 1/4 tasse) d'eau
1 pincée de sauge séchée

1 Préchauffez le four à 180 °C (350°F). Coupez le porc en petits morceaux et enlevez le gras. Épluchez et hachez grossièrement les légumes. Pelez la pomme, ôtez-en le trognon et coupez-la en petits dés.

2 Mettez la viande, les légumes, la pomme, l'eau et la sauge dans une petite cocotte, couvrez et portez à ébullition, en remuant une ou deux fois.

3 Faites cuire au four pendant 1 heure 1/4, jusqu'à ce que la viande soit tendre. Réduisez la préparation en purée jusqu'à obtention de la consistance voulue.

4 Versez une petite quantité de purée dans un bol. Servez tout juste tiède.

5 Couvrez le reste de la purée et réfrigérez dès que possible. Consommez-le dans les 24 heures.

• Se prête à la congélation.

ASTUCE
Vous pouvez choisir de faire plutôt cuire cette purée 40 minutes dans une casserole.

Purée de riz et de poisson

Pour 60 cl (2 1/2 tasses)

90 g (3 1/4 oz) de cabillaud

60 g (2 oz) de riz long grain

2 cuillerées à soupe de petits pois

35 cl (1 1/2 tasse) de lait infantile

2 jaunes d'œufs durs

1 Mettez le riz, les petits pois, le lait et le poisson dans une casserole. Portez à ébullition, couvrez et faites cuire 15 minutes à feu doux, jusqu'à ce que le poisson soit cuit et le riz tendre.

2 Sortez le poisson de la casserole, émiettez-le avec un couteau et une fourchette, et vérifiez qu'il ne reste aucune arête.

3 Incorporez les miettes de poisson au mélange de riz et ajoutez les jaunes d'œufs.

4 Écrasez à la fourchette ou mixez jusqu'à obtention de la consistance souhaitée.

5 Versez une petite quantité de purée dans un bol. Servez tout juste tiède.

6 Couvrez le reste de la purée et réfrigérez dès que possible. Consommez-le dans les 24 heures.

CONSEIL
Les petits pois étant difficiles à avaler pour les bébés, vérifiez qu'ils sont bien écrasés avant de les servir.

• Se prête à la congélation

Purée de légumes à la provençale

Pour 60 cl (2 1/2 tasses)

3 tomates
180 g (6 oz) de courgette
90 g (4 oz) de champignons de Paris
115 g (4 oz) de poivron rouge
45 g (1 1/2 oz) de petites pâtes
4 cuillerées à soupe de coulis ou de sauce tomate
25 cl (1 tasse) d'eau
1 pincée d'herbes de Provence séchées

3 Lavez la courgette et les champignons et coupez-les en fines lamelles. Hachez grossièrement le poivron.

4 Mettez les légumes dans une casserole avec la sauce tomate, l'eau et les herbes. Couvrez et faites cuire 10 minutes à feu doux.

5 Pendant ce temps, faites cuire les pâtes de 8 à 10 minutes dans de l'eau bouillante. Égouttez-les.

6 Incorporez les pâtes à la préparation de légumes, puis réduisez en purée.

7 Versez une petite quantité de purée dans un bol. Servez tout juste tiède.

8 Couvrez le reste de la purée et réfrigérez dès que possible. Consommez-le dans les 24 heures.

• Se prête à la congélation.

1 Entaillez les tomates, mettez-les dans une casserole d'eau bouillante pendant 1 minute, puis égouttez-les et pelez-les. Coupez-les en quartiers et épépinez-les.

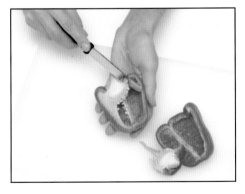

2 Ôtez les parties sableuses des champignons. Débarrassez le poivron de ses pépins.

ASTUCE
Si votre bébé est curieux, ajoutez 1/2 gousse d'ail écrasée.

Purée de pâtes aux légumes

Pour 60 cl (2 1/2 tasses)

120 g (4 oz) de carottes
60 g (2 oz) de choux de Bruxelles
30 g (1 oz) de haricots verts
2 cuillerées à soupe de maïs
60 g (2 oz) de petites pâtes
35 cl (1 1/2 tasse) de lait infantile
60 g (2 oz) de gruyère râpé

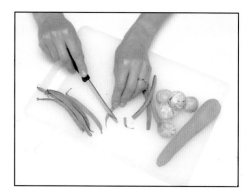

1 Épluchez les carottes, ôtez les feuilles décolorées des choux de Bruxelles, effilez les haricots verts. Rincez les légumes sous l'eau froide et coupez-les en petits morceaux.

2 Plongez les légumes, le maïs, les pâtes et le lait dans une casserole, portez à ébullition, puis laissez cuire de 12 à 15 minutes à feu doux, sans couvrir, jusqu'à ce que les pâtes soient bien cuites.

CONSEIL
Ayez toujours différents légumes à votre disposition pour pouvoir varier vos recettes.

3 Incorporez le gruyère râpé aux légumes, en remuant bien jusqu'à ce que le fromage ait complètement fondu.

4 Réduisez la préparation en purée jusqu'à obtention de la consistance voulue. Puis versez une petite quantité de purée dans un bol. Servez tout juste tiède.

5 Couvrez le reste de la purée et réfrigérez dès que possible. Consommez-le dans les 24 heures.

• Se prête à la congélation.

Compote de pommes à l'orange

Pour 25 cl (1 tasse)

2 pommes
1 cuillerée à soupe de zeste d'orange râpé
1 cuillerée à soupe de jus d'orange non traitée
1 cuillerée à soupe de crème anglaise
1 cuillerée à soupe de sucre vanillé
20 cl (2/3 tasse) de lait infantile

1 Coupez les pommes en quartiers, pelez et ôtez les trognons. Débitez les quartiers en tranches fines et mettez-les dans une casserole avec le zeste et le jus d'orange.

2 Couvrez et faites cuire 10 minutes à feu doux, jusqu'à ce que les pommes soient bien tendres.

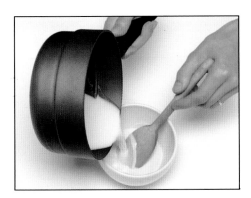

3 Préparez la crème anglaise.

4 Remettez-la dans la casserole et portez lentement à ébullition, en remuant jusqu'à ce qu'elle soit épaisse et onctueuse.

5 Réduisez la préparation en purée jusqu'à obtention de la consistance voulue. Incorporez la crème anglaise en mélangeant bien.

6 Versez une petite quantité de compote dans un bol. Servez tout juste tiède.

7 Couvrez le reste de la compote et réfrigérez dès que possible. Consommez-le dans les 24 heures.

• Se prête à la congélation.

Crème aux fruits du verger

Pour 45 cl (1 7/8 tasse)

1 poire mûre
230 g (8 oz) de prunes mûres
1 cuillerée à soupe de sucre vanillé
1 cuillerée à soupe de crème anglaise (éventuellement instantanée)
20 cl (2/3 tasse) de lait infantile

1 Épluchez la poire, épépinez-la et coupez-la en tranches fines. Lavez les prunes, dénoyautez-les et coupez-les en petits morceaux.

2 Mettez les fruits dans une casserole avec une cuillerée à soupe d'eau et deux cuillerées à café de sucre. Couvrez et faites cuire 10 minutes à feu doux.

3 Préparez la crème anglaise.

4 Portez lentement la crème à ébullition, en tournant, jusqu'à ce qu'elle soit onctueuse.

5 Réduisez les fruits en compote jusqu'à obtention de la consistance voulue et incorporez la crème anglaise. Versez une petite quantité de dessert dans un bol. Servez tout juste tiède.

6 Couvrez le reste du dessert et réfrigérez dès que possible. Consommez-le dans les 24 heures.

• Se prête à la congélation.

Yaourt « pêche Melba »

Pour 20 cl (3/4 tasse)

1 pêche mûre

30 g (1 oz) de framboises fraîches
  ou surgelées

1 cuillerée à soupe de sucre vanillé

120 g (4 oz) de yaourt nature

4 Laissez refroidir, puis incorporez le
sucre et le yaourt. Versez-en un peu
dans une coupelle.

5 Couvrez le reste du dessert et
réfrigérez dès que possible.
Consommez-le dans les 24 heures.

1 Coupez la pêche en quartiers.
Mettez-la dans une casserole avec
les framboises et 1 cuillerée à soupe
d'eau.

2 Couvrez et faites cuire environ
10 minutes à feu doux.

3 Réduisez les fruits en purée et
passez-les au tamis pour ôter les
pépins.

VARIANTE
Mousse de banane
Prenez la moitié d'une petite
banane et 1 cuillerée à soupe de
yaourt. Écrasez bien la banane, puis
ajoutez le yaourt. Mélangez et
servez aussitôt.

QUATRIÈME ÉTAPE : DE NEUF À DOUZE MOIS

C'est à ce stade qu'évolue fondamentalement la consistance des aliments de bébé : il commence à aimer les mets plus consistants et les tout petits morceaux. Désormais, il peut manger en famille un peu de ce que vous mangez vous-même. Veillez à ce qu'il prenne trois repas quotidiens, et deux ou trois petits en-cas. À cet âge, en effet, les enfants se développent avec une rapidité déconcertante : il faut donc qu'ils mangent peu et souvent pour acquérir l'énergie nécessaire à leur croissance. Une fois encore, vous pouvez utiliser les recettes du chapitre précédent : il suffit d'en épaissir progressivement la consistance.

Ses aliments

CE QU'IL PEUT MANGER
- Des œufs entiers
- Des noix finement moulues
- Des saveurs plus épicées (comme du bouillon en cubes, s'il est utilisé dans un mets destiné à la famille)

- Une plus grande variété d'aliments faciles à prendre avec les doigts : tranches de fruits pelés (pomme, poire), bâtonnets de carottes cuites et de concombre, petits cubes de poulet…

- Des aliments appartenant aux quatre principaux groupes alimentaires

Pomme, carotte et concombre

À gauche : *À cet âge, les bâtonnets de légumes et de fruits à prendre avec les doigts sont un délice… Les bébés adorent manger seuls !*

Œuf entier

Ci-dessus : *Les enfants curieux attendent avec impatience le moment de partager les plaisirs de la table !*

Bouillon en cubes

Noix moulues

CE QU'IL FAUT ÉVITER

- Le sel : ne l'utilisez qu'en très petite quantité, et évitez-le si possible
- Le sucre : utilisez-en juste assez pour donner du goût aux aliments
- Le miel
- Les aliments gras : ôtez tout le gras

visible des morceaux de viande crue, faites-les griller plutôt que frire
- Les abats (foie, rognons...)

Ci-dessous : *À ce stade, certains aliments sont encore à éviter.*

Bébé mange tout seul !

COMMENT LUI APPRENDRE À MANGER TOUT SEUL ?

Encourager bébé à manger tout seul est une étape importante. Certains s'y intéressent très tôt, et font preuve d'une rapidité inouïe pour se saisir du bol ou de la cuillère. Donnez à bébé sa propre petite cuillère. Vous aurez ainsi le temps de lui faire manger un vrai repas.

Progressivement, vous pouvez lui donner des petits bâtonnets de carotte, des fleurettes de brocoli ou de chou-fleur, toujours cuits afin de faciliter sa mastication. Vous pouvez également introduire les biscuits secs, les gressins italiens et les mouillettes de pain grillé.

Encouragez votre bébé à prendre les aliments avec les doigts, il apprendra à coordonner ses mouvements et à mieux comprendre comment se nourrir. Essayez de limiter les dégâts en relevant les manches de son vêtement et en le protégeant d'un grand bavoir, de préférence à manches. Évitez les nœuds dans les cheveux et équipez-vous d'une éponge ou d'un gant de toilette humide.

C'est vrai qu'il est tentant de ne pas laisser bébé manger tout seul, mais

Ci-dessus : *Un bavoir à manches.*

prenez patience et ne vous laissez pas décourager par les éclaboussures. De toutes façons, il fait moins de dégâts qu'un bébé toujours nourri à la cuillère, qui cherche constamment à se saisir de l'assiette. Un bébé qui sait

1 Protégez bien bébé (l'opération peut faire des dégâts !). Donnez-lui une petite cuillère pour jouer.

2 Pendant le repas, laissez-le jouer avec les aliments (avec les doigts ou la cuillère).

3 Laissez-le se servir de son gobelet et de sa cuillère. Ne vous souciez pas des éclaboussures (c'est inévitable au stade de l'apprentissage).

4 Une éponge ou un gant de toilette humide à vos côtés vous permettront de nettoyer au fur et à mesure. Soyez patiente et prenez votre temps.

manger tout seul peut en outre participer aux repas familiaux : vous aurez ainsi le temps de consommer votre propre repas.

QUE FAIRE S'IL AVALE DE TRAVERS ?

● Ne perdez pas de temps à essayer d'extirper l'aliment de sa bouche, à moins que ce ne soit facile.

● Retournez-le la tête en bas, en soutenant sa tête de votre avant-bras, et donnez-lui quelques tapes sèches dans le dos.

● Si ça ne marche pas, essayez à nouveau.

● N'hésitez pas à appeler votre médecin ou un service d'urgences si la situation ne s'améliore pas.

À gauche : *Le plaisir de bébé est immense lorsqu'il commence à se nourrir tout seul. Vous pouvez enfin prendre vos repas avec lui et jouir de sa compagnie.*

Ci-dessus : *Faites preuve de rapidité et d'énergie en cas d'urgence.*

COMMENT LIMITER LES TACHES

Votre bébé veut faire ses propres expériences, et tout passe par-dessus bord. Comment éviter que les quelques cuillerées de son repas se retrouvent partout, sur les vêtements, sur sa chaise, par terre ?

● Choisissez un grand bavoir. Les bavoirs en tissu doublé de plastique sont très confortables pour les tout-petits. Par la suite, les bavoirs du type « ramasse-miettes » en plastique rigide

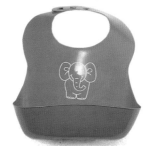

Ci-dessus : *Un bavoir " ramasse-miettes " en matière plastique.*

sont très efficaces. Vérifiez que la fermeture du bavoir n'irrite pas le cou de bébé.

● Si vous lui donnez ses repas dans la salle à manger, protégez le sol d'un vieux drap, de journaux ou d'un morceau de toile cirée. N'oubliez pas de prendre ces précautions lorsque vous allez chez des amis.

● Donnez au bébé sa propre petite cuillère ou un petit jouet, afin qu'il n'essaie pas de s'emparer de la vôtre.

Ci-dessus : *Une nappe en toile cirée ou un vieux drap permettent de ne pas tâcher le sol.*

LES ALIMENTS À MANGER AVEC LES DOIGTS

Bébé adore manger avec les doigts, c'est ainsi qu'il fait l'apprentissage du geste précis. Les petits en-cas ont un rôle essentiel à jouer dans le régime d'un jeune bébé : il manque parfois d'appétit, mais son organisme a besoin de vitamines, de minéraux et de protéines pour se développer. Choisissez des aliments très nutritifs, et évitez les sucreries.

Ci-dessus : *Laissez bébé manger à son propre rythme, jusqu'à ce qu'il soit rassasié.*

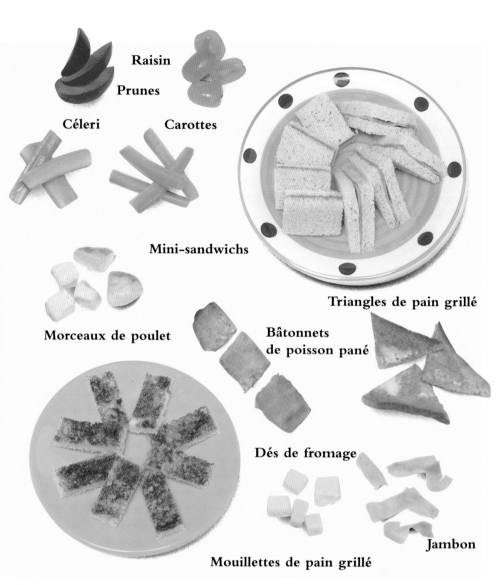

Raisin

Prunes

Céleri

Carottes

Mini-sandwichs

Triangles de pain grillé

Morceaux de poulet

Bâtonnets de poisson pané

Dés de fromage

Jambon

Mouillettes de pain grillé

CONSEILS

● Veillez à ce que bébé soit assis confortablement, sur vos genoux, dans son petit siège ou sur sa chaise haute.
● Vérifiez la température des aliments et laissez refroidir s'il le faut.
● Variez la consistance des aliments : certains bébés préfèrent des purées très liquides, d'autres aiment ce qui est grumeleux, d'autres encore adorent ce qu'ils peuvent prendre avec les doigts (tout petits sandwichs au jambon, bâtonnets de poisson pané grillé, petits pois ou grains de maïs...)
● Encouragez votre bébé à manger tout seul. C'est encore très imprécis, mais ne vous inquiétez pas : il faut qu'il apprenne à se débrouiller.

Essuyez-lui les mains et le visage à la fin du repas.
● Ne vous énervez pas. S'il recrache ce que vous lui proposez, mieux vaut essayer de le séduire avec des petits pots tout faits que de regretter d'avoir perdu du temps à lui préparer des repas " maison ".
● Essayez de ne pas vous énerver ou vous mettre en colère. À 1 an déjà, un bébé sent le pouvoir qu'il peut exercer sur vous.
● Une fois qu'il est habitué à l'alimentation solide, donnez-lui à boire à la fin du repas, et non au début, afin de ne pas lui couper l'appétit.
● Évitez de l'encourager avec des biscuits ou des sucreries : bébé apprendrait rapidement qu'en faisant des histoires au moment du plat

principal, il obtiendrait vite son dessert.
● N'oubliez pas qu'un petit enfant ne se laisse jamais mourir de faim. Continuez de lui proposer des menus variés, sans être obsédée par ce qu'il mange.

Ci-dessus : *Donnez-lui plutôt à boire à la fin du repas, pour ne pas lui couper l'appétit.*

L'enfant qui ne mange pas bien

Tous les enfants sont difficiles à un moment ou un autre de leur développement. Il est rare que tous les repas soient calmes et les assiettes toujours bien léchées. Dès leur plus jeune âge, les bébés comprennent qu'ils peuvent exercer un pouvoir sur leurs parents : les repas leur en donnent l'occasion rêvée. Voici donc quelques conseils qui vous permettront de mieux traiter ces situations.

LE BÉBÉ RECRACHE LES ALIMENTS

Il se peut que vous essayiez de le sevrer trop tôt, ou bien simplement qu'il n'aime pas le goût de ce que vous lui proposez. Si vous avez commencé avec de la bouillie, offrez-lui de la purée de pommes de terre ou de navets, ou bien un peu de compote de pommes. S'il refuse encore, c'est peut-être qu'il n'est pas encore prêt pour la nourriture solide. Essayez de nouveau huit ou quinze jours plus tard.

LE BÉBÉ SEMBLE AVOIR DES NAUSÉES

Certains bébés ont beaucoup de mal, dans les premiers temps, à avaler des aliments solides. Ils donnent l'impression d'avoir envie de vomir. Essayez de délayer les aliments avec un peu de lait maternel, de lait infantile ou d'eau : la purée est peut-être trop épaisse. Ou peut-être en mettez-vous trop sur la cuillère. Si la réaction continue, arrêtez les aliments solides et reprenez les tétées habituelles, avec de grands câlins pour le rassurer. Essayez à nouveau quelques jours ou quelques semaines plus tard. Si la situation ne s'améliore pas vers le sixième mois, n'hésitez pas à consulter son pédiatre.

LE BÉBÉ SEMBLE MANQUER D'APPÉTIT

L'appétit d'un enfant, comme celui des adultes, varie énormément. N'essayez

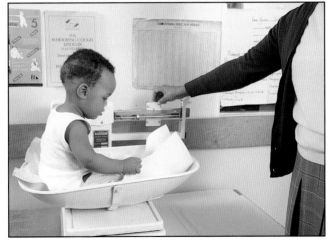

Ci-dessus : *Ne vous inquiétez pas si bébé refuse de manger… Il n'y a jamais eu de bébé qui aime tout.*

À gauche : *Si vous êtes vraiment inquiète, consultez votre médecin et vérifiez régulièrement son poids.*

jamais de le forcer : s'il a bien mangé, puis refuse la cuillère ou commence à recracher, c'est qu'il est rassasié, même si vous pensez qu'il n'a pas beaucoup mangé. Résistez à la tentation de

l'inciter à finir son assiette : forcer un enfant ne sert jamais à rien et est plutôt une mauvaise habitude. Si vous êtes inquiète, consultez son pédiatre et vérifiez son poids régulièrement.

Le bébé élevé dans une famille végétarienne

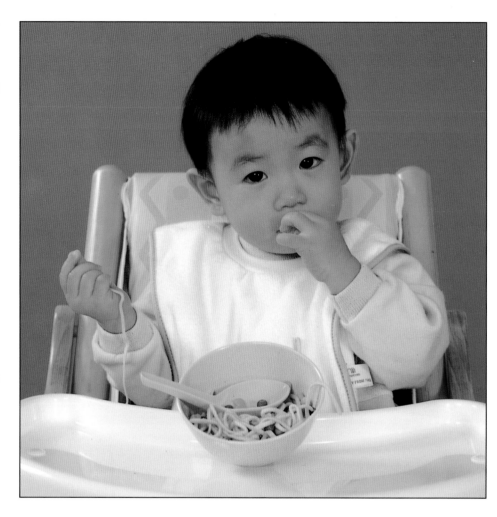

Un régime végétarien peut offrir en grande partie les éléments nutritionnels essentiels à la santé et la vitalité ; mais il est important de bien équilibrer l'alimentation de bébé, afin qu'il y puise la quantité de protéines, de vitamines D et B12, de calcium et de fer dont il a absolument besoin.

Les conseils de base sont les mêmes que pour le sevrage de tout autre bébé : introduire les différentes saveurs progressivement et respecter les préférences et le rythme de l'enfant. La grande différence, bien entendu, réside dans le type d'aliments à lui proposer. Les sources de protéines n'étant plus la viande ni le poisson, il faut les trouver ailleurs. Nombreuses sont toutefois les denrées riches en protéines : œufs, légumineuses, lentilles et pois cassés, noix très finement moulues, soja, lait et produits laitiers, fromage.

Les végétariens doivent veiller à inclure suffisamment de fer dans le régime de leur bébé. Après le sixième mois, proposez-lui du jus de pruneaux, de la purée d'abricots, du miel, des lentilles et des céréales, des farines de petit déjeuner riches en qualités nutritionnelles. Les légumes verts et les haricots en purée fine sont également une excellente source de fer. La vitamine C contribue à l'absorption du fer issu de sources végétales, veillez donc à inclure des légumes verts ou des fruits frais dans le repas. Votre médecin vous conseillera peut-être également de compléter son régime par un apport supplémentaire de vitamines appropriées.

Si vous avez l'intention de faire de votre bébé un végétarien strict, ou végétalien (donc de lui offrir un régime sans produits laitiers ni œufs), il sera beaucoup plus difficile de lui apporter les éléments nécessaires à sa croissance ; il est donc absolument essentiel de consulter votre

médecin ou un diététicien, mais sachez que ce n'est pas un régime très équilibré pour un enfant en cours de croissance.

Les régimes végétariens tendent à être plus bourratifs et plus faibles en calories que les régimes à teneur en viande. Veillez donc à y inclure des aliments caloriques riches en protéines, avec très peu ou pas de fibres, comme les œufs, le lait et le fromage. Vous pouvez les mélanger à de petites quantités de légumes, de fruits et de céréales. Les

Ci-dessus : *Élever son bébé en végétarien demande un soin et des précautions tout particuliers.*

aliments riches en fibres peuvent, pour un bébé, se révéler difficilement assimilables.

Vous devez, afin que votre enfant absorbe les vitamines, les minéraux et l'énergie nécessaire à sa croissance, inclure dans ses repas des aliments appartenant aux quatre groupes de la page ci-contre.

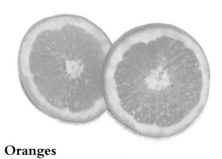

Oranges

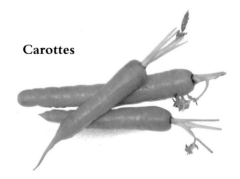

Carottes

Concombre

Raisin

Céréales : riz vers quatre mois ; pâtes, pain, flocons d'avoine et farines de petit déjeuner à partir de six mois.

Fruits et légumes : pommes de terre, carottes, pommes et poires à partir de quatre mois ; puis, progressivement, des aliments de goût moins neutre.

Produits laitiers : notamment lait, fromage et yaourt à partir de six mois. Veillez à ce que le fromage soit sans présure. En cas de doute, consultez le vendeur ou vérifiez sur l'emballage.

Légumes secs et légumineuses : pois cassés et lentilles cuites à partir de cinq à six mois. Progressivement, à partir de six mois : fromage de soja, jaunes d'œufs durs. À partir de neuf mois : haricots et pois secs bien cuits en purée, noix finement pilées. Ne donnez pas de noix entières à un enfant de moins de quatre ans.

Pour être sûre de la bonne croissance de votre bébé (quel que soit son type de régime) emmenez-le régulièrement chez le pédiatre.

Purée de lentilles

Pois cassés

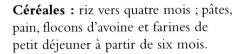

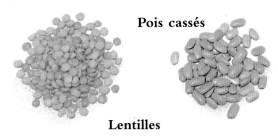

Lentilles

L'importance d'un régime varié

C'est grâce à la variété de purées de légumes et de fruits que vous lui proposez, que votre bébé commence à construire les bases de l'équilibre alimentaire et des habitudes qui lui permettront de devenir un adulte en bonne santé.

Il est absolument essentiel, à cette fin, de lui proposer chaque jour dans ses repas, des aliments appartenant aux quatre grands groupes ci-dessous. Mais veillez à ce que les aliments choisis conviennent à l'âge de votre enfant.

À gauche : *Votre bébé a atteint l'âge auquel son régime peut être aussi varié que celui d'un adulte. La variété est essentielle pour la santé ; elle vous offre la possibilité d'éveiller son goût tout en répondant à ses besoins, et de lui donner les habitudes alimentaires nécessaires à sa bonne santé.*

Groupe 1 : *Céréales, pain, pommes de terre, riz, pâtes.*

Groupe 2 : *Fruits et légumes au goût peu prononcé pour commencer (pommes de terre, céleri-rave, navets), puis à la saveur plus prononcée.*

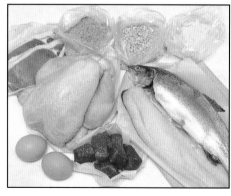

Groupe 3 : *Viande et autres protéines (viande, volaille, poisson, œufs, pois secs, lentilles, haricots, noix finement moulues).*

Groupe 4 : *Lait et produits laitiers (lait, lait de soja, fromages, yaourts).*

Deux autres groupes d'aliments rendent les repas appétissants et nutritifs.

Groupe 5 : *Les sucres*

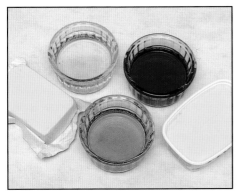

Groupe 6 : *Les matières grasses et les huiles*

Les aliments ou les boissons très sucrés ne sont pas recommandés pour les bébés, en particulier lors des premiers temps du sevrage. Il est possible de répondre au goût instinctif du bébé pour le sucre sans créer de mauvaises habitudes. Essayez d'inclure dans les repas des aliments naturellement sucrés, comme des pommes ; mélangez des bananes et des abricots mûrs à des fruits plus acides.

Les aliments trop acides peuvent être additionnés d'une cuillerée à café de sucre par portion, ce qui leur donne un goût agréable, sans qu'ils soient trop sucrés. S'il avait le choix, votre bébé opterait à chaque fois pour le sucré : veillez donc à lui proposer une grande variété de goûts différents. Une trop grande quantité de sucre ou d'aliments sucrés peut provoquer des caries dentaires avant même que les dents n'aient poussé.

Essayez d'éviter les biscuits entre les repas. Encouragez votre bébé à manger plutôt :
- un bout de banane,
- un bout de petit pain,
- quelques tranches de pain grillé,
- une boisson lactée,
- un petit pot de yaourt ou un petit-suisse.

Surveillez également les quantités de matières grasses et d'huile dans ses aliments. Évitez les fritures et tout ce qui est cuit dans la graisse, surtout pour les premiers repas : les bébés ont beaucoup de mal à les digérer. Progressivement, vous pouvez étaler un peu de beurre ou de margarine sur des petites tartines de pain , ou proposer au bébé quelques frites cuites au four qu'il aimera saisir avec les doigts et manger tout seul. Continuez à lui donner du lait, et passez au lait de vache après l'âge de 12 mois pour la principale tétée. Donnez-lui plutôt du lait écrémé, pour des raisons de diététique.

PRODUITS « MAISON » OU PRODUITS DU COMMERCE ?

La plupart des parents font alternativement appel aux deux. Les produits alimentaires pour bébés sont pratiques, souvent plus faciles à servir si vous sortez pour la journée, ou jusqu'à ce que les repas de bébé coïncident

Ci-dessus : *Un morceau de fruit ou un bâtonnet de légumes valent toujours mieux qu'un gâteau sec.*

avec ceux de la famille. Les petits pots sont très utiles dans les tout premiers temps, lorsque bébé ne mange qu'une seule cuillerée de purée par repas. Mais les repas " maison " peuvent être préparés en petites quantités à l'avance ou avec les ingrédients du repas familial. Cela prend souvent moins de temps qu'on ne le pense. À cela, vient s'ajouter la satisfaction de savoir que votre bébé a mangé un " vrai " repas, qui l'amènera à aimer la cuisine familiale.

À gauche : *Il n'est pas vrai que les aliments cuits à la maison sont toujours meilleurs et plus nutritifs que les produits du commerce. On trouve aujourd'hui d'excellents petits pots ou purées en sachets qui vous permettent de varier les repas et de gagner un temps fou, sans pour cela priver le bébé des éléments nutritionnels essentiels à sa croissance.*

Couscous d'agneau

Pour environ 80 cl (3 1/3 tasses)

180 g (6 oz) d'agneau désossé
60 g (2 oz) de semoule de couscous
120 g (4 oz) de carottes
120 g (4 oz) de céleri-rave
1/4 d'oignon
1 cuillerée à café d'huile
2 cuillerées à café de concentré de tomates
2 cuillerées à soupe de raisins secs
30 cl (1/4 tasse) d'eau

1 Épluchez les carottes, le céleri-rave et l'oignon, lavez-les et hachez-les grossièrement.

2 Faites chauffer l'huile dans une casserole, et faites revenir l'agneau jusqu'à ce qu'il soit bien doré.

3 Ajoutez les légumes, laissez cuire 2 minutes, puis incorporez le concentré de tomates, les raisins secs et l'eau. Couvrez et laissez cuire 25 minutes à feu doux.

4 Rincez la semoule dans une passoire sous l'eau froide. Couvrez et faites cuire la semoule à la vapeur au-dessus de la casserole d'agneau, pendant 5 minutes.

5 Réduisez la préparation d'agneau en purée jusqu'à obtention de la consistance voulue. Égrenez la semoule avec une fourchette et incorporez-la en mélangeant bien.

6 Versez une petite quantité de couscous dans un bol. Servez tout juste tiède.

7 Couvrez le reste du couscous et réfrigérez dès que possible. Consommez-le dans les 24 heures.

• Se prête à la congélation.

VARIANTE
Vous pouvez remplacer le concentré de tomates par une tomate fraîche pelée et épépinée.

Porc au paprika

Pour environ 60 cl (2 1/2 tasses)

180 g (6 oz) de porc maigre
90 g (3 oz) de carottes
180 g (6 oz) de pommes de terre
160 g (5 oz) de haricots blancs en conserve
1/4 d'oignon
1/4 de poivron rouge
1 cuillerée à café d'huile
1/4 cuillerée à café de paprika doux
20 cl (2/3 tasse) d'eau

1 Préchauffez le four à 180 °C (350°F). Découpez le porc en petits dés et enlevez les morceaux de gras.

2 Épluchez les carottes, les pommes de terre et l'oignon. Épépinez le poivron et ôtez-lui les côtes. Mettez les légumes dans une passoire, rincez-les à l'eau froide et coupez-les en petits morceaux.

3 Faites chauffer l'huile dans une cocotte à feu doux, mettez-y les morceaux de porc et faites-les sauter quelques minutes, en remuant, jusqu'à ce qu'ils soient bien dorés. Ajoutez les légumes, laissez cuire 2 minutes, puis ajoutez le paprika, les haricots et l'eau.

4 Portez à ébullition, couvrez et faites cuire au four pendant 1 heure 1/4, jusqu'à ce que le porc soit bien tendre.

5 Réduisez la préparation en purée jusqu'à obtention de la consistance voulue. Versez une petite quantité de purée dans un bol. Servez tout juste tiède.

6 Couvrez le reste de la purée et réfrigérez dès que possible. Consommez-le dans les 24 heures.

• Se prête à la congélation.

ASTUCE
Si vous vous servez d'un mixer, réservez le liquide de cuisson. Mixez, puis ajoutez le liquide jusqu'à obtention de la consistance voulue.

Poulet au céleri

Pour environ 60 cl (2 1/2 tasses)

180 g (6 oz) de blanc de poulet, sans peau
1/4 d'oignon
230 g (8 oz) de carottes
90 g (3 oz) de céleri en branche
1 cuillerée à café d'huile d'olives
2 cuillerées à café de coulis ou de sauce tomate
25 cl (1 tasse) d'eau

1 Coupez le poulet en petits cubes.

2 Épluchez les légumes, passez-les sous l'eau et coupez-les en petits dés.

3 Faites chauffer l'huile dans une casserole, faites-y revenir le poulet et l'oignon quelques minutes jusqu'à ce que les morceaux soient bien dorés. Ajoutez les carottes, le céleri, la sauce tomate et l'eau. Portez à ébullition, couvrez et faites cuire 20 minutes environ à feu doux, jusqu'à ce que la viande soit bien tendre.

4 Réduisez la préparation en purée jusqu'à obtention de la consistance voulue. Si vous vous servez d'un mixer, réservez le liquide de cuisson, mixez la préparation puis incorporez lentement le liquide.

5 Versez une petite quantité de purée dans un bol. Servez tout juste tiède.

6 Couvrez le reste de la purée et réfrigérez dès que possible. Consommez-le dans les 24 heures.

• Se prête à la congélation

ASTUCE
Pour relever la purée, remplacez l'eau par du bouillon maison, ou servez-vous d'un bouillon-cube (mais dans ce cas, diminuez le sel).

Chou-fleur et brocolis au fromage

Pour environ 60 cl (2 1/2 tasses)

180 g (6 oz) de chou-fleur
180 g (6 oz) de brocolis
180 g (6 oz) de pommes de terre
30 cl (1 1/4 tasse) de lait infantile
90 g (4 oz) de gruyère râpé

1 Lavez les légumes à l'eau froide, puis séparez les fleurettes du chou-fleur et des brocolis. Effilez les tiges tendres de brocoli, mais jetez les parties ligneuses du chou-fleur. Épluchez les pommes de terre et coupez-les en dés.

4 Réduisez en purée jusqu'à obtention de la consistance voulue, en ajoutant un peu de lait s'il le faut.

5 Versez une petite quantité de purée dans un bol. Servez tout juste tiède.

6 Couvrez le reste de la purée et réfrigérez dès que possible. Consommez-le dans les 24 heures.

• Se prête à la congélation.

2 Mettez les légumes et le lait dans une casserole, portez à ébullition, couvrez et faites cuire 15 minutes à feu doux, jusqu'à ce qu'ils soient tendres.

3 Incorporez le gruyère râpé aux légumes, en remuant jusqu'à ce que le fromage ait fondu.

Pâtes aux brocolis et au jambon

Pour environ 60 cl (2 1/2 tasses)

120 g (4 oz) de brocolis
60 g (2 oz) de jambon en tranches fines
60 g (2 oz) de gruyère râpé
30 cl (1 1/4 tasse) de lait infantile
60 g (2 oz) de pâtes

4 Ajoutez le jambon et le gruyère râpé, en remuant bien jusqu'à ce que le fromage ait fondu.

5 Réduisez la préparation en purée jusqu'à obtention de la consistance voulue. Versez une petite quantité de purée dans un bol. Servez tout juste tiède.

6 Couvrez le reste de la purée et réfrigérez dès que possible. Consommez-le dans les 24 heures.

• Se prête à la congélation.

1 Passez les brocolis sous l'eau froide et coupez les fleurettes. Hachez les tiges. Émincez le jambon.

2 Versez le lait dans une casserole, portez à ébullition et plongez-y les pâtes. Faites cuire 5 minutes à feu doux, sans couvrir.

3 Ajoutez les brocolis et laissez cuire 10 minutes environ, jusqu'à ce qu'ils soient tendres.

ASTUCE
Si la préparation vous paraît un peu compacte, diluez-la avec un peu de lait infantile.

Lentilles cuisinées

Pour environ 60 cl (2 1/2 tasses)

60 g (1/4 tasse) de lentilles roses ou de lentilles vertes du Puy
90 g (3 oz) de pommes de terre
90 g (3 oz) de chou-fleur
90 g (3 oz) de chou vert
1/4 d'oignon
1/4 cuillerée à café de coriandre en poudre
1/4 de cuillerée à café de curcuma
35 cl (1 1/2 tasses) d'eau

1 Passez les lentilles sous l'eau froide après les avoir triées.

2 Épluchez l'oignon et hachez-le finement. Mettez-le dans une casserole avec les lentilles, les épices et l'eau.

3 Portez à ébullition, couvrez et laissez cuire 20 minutes à feu doux.

4 Épluchez les pommes de terre et les carottes. Coupez le chou en lanières fines et divisez le chou-fleur en fleurettes.

5 Incorporez les légumes aux lentilles. Faites cuire de 12 à 15 minutes.

6 Réduisez la préparation en purée jusqu'à obtention de la consistance voulue, en ajoutant le cas échéant un peu d'eau.

7 Versez une petite quantité de purée dans un bol. Servez tout juste tiède.

8 Couvrez le reste de la purée et réfrigérez dès que possible. Consommez-le dans les 24 heures.

• Se prête à la congélation.

Mousseline au poisson

Pour environ 50 cl (1 7/8 tasse)

90 g (3 1/2 oz) de cabillaud
230 g (8 oz) de pommes de terre
60 g (2 oz) de poireaux
60 g (2 oz) de champignons de Paris
25 cl (1 tasse) de lait infantile
60 g (2 oz) de gruyère râpé

1 Épluchez les pommes de terre, coupez les poireaux en deux dans le sens de la longueur, ôtez la partie sableuse des champignons. Lavez les légumes à l'eau froide. Égouttez-les, puis coupez-les en petits morceaux.

2 Mettez les légumes, le poisson et le lait dans une casserole. Portez à ébullition, couvrez et laissez cuire 15 minutes environ à feu doux, jusqu'à ce que le poisson soit bien cuit et les pommes de terre tendres lorsqu'on les pique avec un couteau.

3 Sortez le poisson de la casserole avec une écumoire et effeuillez-le avec un couteau et une fourchette, en vérifiant qu'il ne reste aucune arête.

4 Remettez le poisson dans la casserole et incorporez le fromage râpé. Réduisez la préparation en purée jusqu'à obtention de la consistance voulue.

5 Versez une petite quantité de purée dans un bol. Servez tout juste tiède.

6 Couvrez le reste de la purée et réfrigérez dès que possible. Consommez-le dans les 24 heures.

• Se prête à la congélation

Poisson créole

Pour environ 50 cl (1 7/8 tasse)

90 g (3 1/4 oz) de cabillaud
60 g (2 oz) de céleri en branche
60 g (2 oz) de poivron rouge
60 g (2 oz) de riz long grain
2 cuillerées à café de sauce tomate
30 cl (1 1/4 tasse) d'eau

1 Épluchez le céleri, débarrassez le poivron de ses côtes intérieures et de ses pépins. Passez les légumes sous l'eau et coupez-les en petits morceaux.

2 Plongez les légumes dans la casserole d'eau bouillante, ainsi que le riz, la sauce tomate et le poisson.

3 Ramenez à ébullition, puis baissez à feu doux, couvrez et laissez cuire 15 minutes environ jusqu'à ce que le riz soit tendre et le poisson bien cuit.

4 Sortez le poisson de la casserole avec une écumoire. Utilisez un couteau et une fourchette pour vérifier qu'il ne reste aucune arête.

6 Versez une petite quantité de purée dans un bol. Servez tout juste tiède.

7 Couvrez le reste de la purée et réfrigérez dès que possible. Consommez-le dans les 24 heures.

• Se prête à la congélation.

5 Remettez le poisson dans la casserole, puis réduisez la préparation en purée.

Crème prise au chocolat

Pour 2 portions

1 cuillerée à café de cacao en poudre
1 cuillerée à café de sucre (si le cacao n'est pas déjà sucré)
20 cl (2/3 tasse) de lait
1 œuf

1 Préchauffez le four à 180 °C (350°F). Dans un bol, délayez le cacao et éventuellement le sucre avec un peu de lait pour obtenir une crème onctueuse. Incorporez le reste du lait et versez la préparation dans une casserole.

2 Laissez frémir. Dans une jatte, battez l'œuf, puis incorporez lentement la préparation chaude, sans cesser de remuer pour obtenir une crème bien lisse.

4 Posez les ramequins dans la lèchefrite, dans laquelle vous versez un peu d'eau bouillante jusqu'à mi-hauteur des pots.

3 Versez la préparation dans deux ramequins, au travers d'une petite passoire, pour en ôter les grumeaux éventuels.

5 Faites cuire au four au bain-marie de 15 à 20 minutes, ou jusqu'à ce que la crème ait pris. Laissez refroidir complètement.

6 Mettez au réfrigérateur dès que possible. Servez l'un des ramequins et consommez l'autre dans les 24 heures.

Petites crèmes à la vanille

Pour 2 portions

1 œuf
1/2 sachet de sucre vanillé
1/2 gousse de vanille
20 cl (2/3 tasse) de lait

1 Préchauffez le four à 180 °C (350°F). Dans un bol, battez à la fourchette l'œuf, le sucre et l'extrait de vanille.

2 Versez le lait dans une petite casserole et laissez frémir.

3 Incorporez lentement le lait dans l'œuf battu, en utilisant un fouet ou une fourchette pour obtenir une consistance onctueuse.

4 Versez la préparation dans deux ramequins, au travers d'une petite passoire, et posez les ramequins dans la lèchefrite, dans laquelle vous versez de l'eau bouillante jusqu'à mi-hauteur des pots.

5 Faites cuire au four au bain-marie de 15 à 20 minutes ou jusqu'à ce que la crème ait pris. Laissez refroidir et servez les deux ramequins dans les 24 heures.

Petits tortillons de pain

Pour 36 tortillons

150 g (5 oz) de préparation pour pâte à pizza
farine pour saupoudrer
1 jaune d'œuf
1 cuillerée d'huile pour badigeonner la plaque

1 Badigeonnez deux plaques à four d'un peu d'huile. Dans une jatte, versez la préparation à pizza, ajoutez la quantité d'eau indiquée sur le paquet et mélangez pour obtenir une pâte lisse.

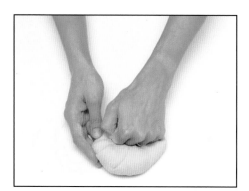

2 Pétrissez la pâte sur un plan de travail légèrement fariné, pendant 5 minutes.

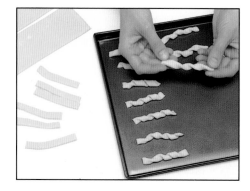

3 Étalez la pâte en un carré de 15 cm de côté environ. Découpez-la en rubans de 5 cm x 8 mm, que vous enroulez sur eux-mêmes. Posez les tortillons sur les tôles, légèrement espacés.

4 Badigeonnez les tortillons au jaune d'œuf. Recouvrez d'un papier sulfurisé, sans trop appuyer, et laissez reposer dans un endroit chaud pendant 20 à 30 minutes, afin que la pâte lève.

5 Pendant ce temps, préchauffez le four à 220 °C (425°F). Faites cuire les tortillons, de 8 à 10 minutes, jusqu'à ce qu'ils aient bien gonflé. Détachez-les, mais laissez-les refroidir sur la plaque.

6 Servez un ou deux tortillons. Conservez le reste dans une boîte en métal, et consommez dans les trois jours.

• Se prête à la congélation pendant

Pain perdu

Pour 16 portions

2 tranches de pain de mie

1 œuf

2 cuillerées à soupe de lait infantile

1 cuillerée à café de sucre en poudre

1 Ôtez la croûte du pain et coupez chaque tranche en deux.

2 Dans une terrine, battez l'œuf et le lait. Plongez chaque tranche de pain dans l'œuf, afin qu'elle soit bien enduite des deux côtés.

3 Dans une poêle, faites chauffer un peu de beurre et d'huile. Faites frire le pain jusqu'à ce qu'il soit doré des deux côtés.

4 Laissez tiédir, coupez en mouillettes et servez pour le goûter.

Bâtonnets au fromage

Pour 42 bâtonnets

350 g (12 oz) de farine

6 cuillerées à soupe de beurre
en petits dés

120 g (4 oz) de gruyère râpé

1 œuf battu

huile

1 Préchauffez le four à 200 °C
(400°F). Badigeonnez légèrement
d'huile deux grandes plaques.

2 Dans un grand bol, mettez la
farine, ajoutez le beurre et
mélangez avec les doigts jusqu'à ce que
la préparation ressemble à de fines
miettes de pain. Incorporez le gruyère
râpé.

3 Réservez une cuillerée à soupe
d'œuf battu, et incorporez le reste à
la pâte. Pétrissez jusqu'à obtenir une
pâte lisse, en ajoutant un peu d'eau s'il
le faut.

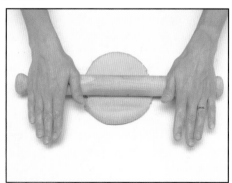

4 Étalez la pâte sur un plan de travail
fariné pour former un rectangle de
20 x 13 cm environ. Badigeonnez avec
le reste d'œuf battu.

5 Découpez la pâte en rubans de
5 cm x 8 mm environ et posez les
bâtonnets sur les plaques, légèrement
espacés.

6 Faites cuire les bâtonnets au four
pendant 8 à 10 minutes, jusqu'à ce
qu'ils soient bien dorés. Détachez-les,
mais laissez-les refroidir sur la plaque
hors du four.

7 Servez un ou deux bâtonnets et
conservez le reste dans une boîte
en métal. Consommez-le dans la
semaine.

• Se prête à la congélation pendant
trois mois maximum, dans un récipient
plastique revêtu de papier sulfurisé.

VARIANTE
Commencez par utiliser du fromage
doux ; vous pourrez le remplacer
plus tard par un fromage au goût
plus prononcé.

Petits gâteaux moelleux

Pour 26 petits gâteaux

4 cuillerées à soupe de beurre mou

50 g (2 oz) de sucre en poudre

50 g (2 oz) de farine
avec levure incorporée

1 œuf

1 Préchauffez le four à 180 °C (350°F). Prenez 26 petits moules en papier et posez-les sur une grande tôle.

2 Mettez tous les ingrédients dans une jatte et mélangez en battant pour obtenir une consistance lisse.

3 Versez la préparation dans les moules et faites cuire de 8 à 10 minutes, jusqu'à ce que les gâteaux aient bien gonflé et pris une belle couleur dorée.

4 Placez les gâteaux sur une grille et laissez refroidir complètement. Démoulez un ou deux gâteaux et servez.

5 Conservez le reste des gâteaux dans une boîte en métal. Consommez-les dans les trois jours.

• Se prête à la congélation dans un récipient plastique pendant trois mois.

ASTUCE
Coupez un gâteau en deux, puis étalez, sur l'une des faces, un peu de gelée de fruits. Recouvrez de l'autre moitié et servez.

Petits sablés

Pour 60 sablés

huile pour badigeonner les plaques
300 g (10 oz) de farine
3 cuillerées à soupe de fécule
100 g (4 oz) de sucre en poudre
120 g (4 oz) de beurre

1 Préchauffez le four à 180 °C (350°F). Huilez légèrement deux plaques de taille moyenne.

2 Dans un petit saladier, mettez la farine, la fécule et le sucre. Coupez le beurre en petits morceaux et incorporez-le à la farine jusqu'à ce que la préparation ressemble à de fines miettes de pain. Pétrissez légèrement.

3 Abaissez la pâte à environ 4 mm d'épaisseur sur un plan de travail légèrement fariné. Découpez les sablés à l'aide d'emporte-pièce de formes variées.

4 Posez-les sur les plaques, saupoudrez éventuellement d'un peu de sucre, et faites cuire de 10 à 12 minutes jusqu'à ce que les sablés prennent une couleur légèrement dorée. Détachez avec la lame d'un couteau et laissez refroidir sur les plaques hors du four, avant de transférer sur une grille.

5 Servez un ou deux sablés de forme différente, et conservez le reste dans une boîte en métal. Consommez-les dans la semaine.

ASTUCE
Ces petits sablés se conserveront également très bien au congélateur pendant trois mois. Mettez-les dans des récipients plastique rigides et laissez décongeler par couche. Vous pouvez aussi congeler les sablés avant la cuisson. Enveloppez-les soigneusement.

LES REPAS DU PETIT ENFANT

À partir de 12 mois, le régime de l'enfant se diversifie très rapidement. Bébé a déjà acquis ses propres habitudes alimentaires, il manifeste nettement ses préférences. C'est à ce moment qu'il est essentiel de lui proposer les aliments qui lui permettront de construire son équilibre alimentaire sur des bases solides. C'est également à cette période que se développent ses goûts et ses dégoûts.

Ce n'est qu'une étape (tous les enfants la traversent à un moment ou un autre, même les bons mangeurs !), si vous prenez votre mal en patience, tout rentrera vite dans l'ordre ; mais il est vrai que ce sont des périodes parfois difficiles à vivre.

L'enfant qui ne mange pas

Selon les stades de la vie, les appétits diffèrent : les petits enfants ne font pas exception à la règle. Leur appétit peut varier considérablement, il diminue souvent avant une poussée de croissance. Tous les enfants traversent des phases de caprices et de refus alimentaires.

À partir de l'âge d'un an, l'appétit de l'enfant peut être variable d'un repas à l'autre, et cela sans raison apparente. Inutile de s'en inquiéter, lui seul connaît véritablement ses besoins et ses désirs. Mieux vaut tenir compte de ce qu'il a mangé au cours des jours précédents, que de s'angoisser au jour le jour.

Essayez de prendre les choses calmement : oubliez les aliments que vous venez de jeter, et pensez au long terme. Amusez-vous une fois à noter ce que votre bébé a réellement mangé depuis trois ou quatre jours, ou même une semaine : vous serez étonnée du résultat !

Cette petite liste vous permettra notamment d'établir un lien entre ce qu'il mange et le moment auquel il les mange. Certains enfants mangent mieux lorsqu'ils partagent le repas familial, d'autres lorsqu'ils sont seuls. Vous constaterez peut-être qu'il se gave de chocolat, de chaussons aux pommes, de boissons sucrées ou de frites lorsqu'il est dehors avec ses amis ; et que son manque d'appétit à la maison n'est que le signe d'un estomac rassasié ! Il se peut aussi qu'en remplaçant, à 10 heures du matin, sa boisson lactée et son gâteau sec par quelques quartiers de pomme, son appétit s'améliore à l'heure du déjeuner. Cachez la boîte de biscuits afin qu'il n'ait pas la tentation de s'y servir à tout moment.

Si votre enfant semble avoir très faim au petit déjeuner, vous pouvez lui proposer de la brioche, une petite tranche de jambon ou un morceau de

Ci-dessus : *Inutile de paniquer si l'enfant refuse de manger. Faites preuve de patience et notez ce qu'il absorbe réellement pendant plusieurs jours.*

À droite : *Les petits en-cas sains et frais ne coupent pas l'appétit.*

fromage ou ajouter quelques rondelles de banane à ses céréales.

Ce sont des conseils qui semblent évidents ; mais si l'on doit s'occuper à la fois d'un enfant de cet âge et d'un nourrisson ou d'un enfant plus grand, la vie demande un peu d'organisation.

IL REFUSE DE MANGER

L'enfant mange en fonction de sa faim, mais il peut avoir faim en dehors des repas. Un enfant peut rester en parfaite santé en ne mangeant que très peu. Si sa courbe de croissance ne marque aucun fléchissement, ne vous inquiétez pas. Votre médecin pourra vous renseigner. Respectez ces fluctuations, ne le forcez pas à manger et surtout, ne faites pas des repas l'occasion de conflits perpétuels.

LE REPAS DOIT ÊTRE UNE FÊTE

L'enfant qui ne mange pas peut être très énervant. Moins il mange, plus vous vous fâchez. C'est un cercle vicieux, car l'enfant prend vite l'habitude des conflits. Essayez de désamorcer la situation en lui demandant de vous aider à préparer les repas. Vous pouvez également préparer un pique-nique ensemble et choisir de manger ailleurs, dans le jardin, sur l'aire de jeux ou même dans la voiture. Autres idées, organiser un goûter pour les poupées ou les ours en peluche, ou dresser une tente sous la table de la salle à manger.

Dès leur plus jeune âge, les enfants aiment manger avec leurs amis. Si votre enfant traverse une phase de refus alimentaires, invitez des amis qui ont bon appétit et ne faites pas de comparaison entre lui et les autres.

Ci-dessus : *Un changement de lieu ou d'habitude peut tout changer.*

Ci-dessous : *Faire du repas une occasion spéciale peut aider l'enfant qui n'a pas d'appétit.*

Ci-dessus : *S'il vous aide à préparer le repas, l'enfant s'intéressera de plus près aux aliments.*

Ci-dessus : *Les enfants mangent mieux lorsqu'ils sont entourés d'amis du même âge.*

L'ENFANT QUI NE MANGE PAS : DIX ASTUCES

1 Essayez de composer des menus qui plaisent à toute la famille et dans lesquels l'enfant « chipoteur » trouvera une ou deux choses qu'il aime. Il semblerait, de prime abord, plus simple de ne préparer que des aliments qui plaisent à l'enfant, mais cette solution conduit à un régime alimentaire trop limité pour les autres membres de la famille ; et à l'impossibilité, pour votre enfant, de changer d'avis et d'essayer quelque chose de nouveau.

2 Servez-lui des petites (voire toutes petites) quantités.

3 Invitez des petits amis qui ont de l'appétit et qui donneront l'exemple. Mais n'insistez pas sur ce que les « invités » ont mangé.

4 Invitez à dîner quelqu'un avec qui votre enfant s'entend bien (une grand-mère ou un ami de la famille). Il arrive qu'un enfant mange mieux pour quelqu'un d'autre, sans caprices.

5 Ne forcez jamais votre enfant à manger.

6 S'il se contente de jouer avec les aliments et refuse de manger, enlevez calmement son assiette et ne lui proposez pas de dessert.

7 Essayez de faire des repas un moment joyeux et bavardez avec lui.

8 Tentez de réduire les petits en-cas et les boissons entre les repas, afin que l'enfant ait vraiment faim à l'heure des repas. Ou bien, proposez-lui des en-cas plus nourrissants et des repas moins copieux s'il semble préférer manger de cette façon.

9 Servez-lui à boire après le repas seulement, afin de ne pas lui couper l'appétit.

10 Proposez les aliments nouveaux lorsque vous savez qu'il a faim. Il sera ainsi mieux disposé à les apprécier.

Ci-dessus : *Donnez-lui à boire après les repas, plutôt qu'avant.*

LES REPAS FAMILIAUX

Les repas en famille devraient toujours constituer un moment privilégié de la journée. Ils peuvent toutefois devenir pénibles si tout le monde est fatigué, ou si vous avez l'impression que l'enfant s'est installé dans un système de refus.

Il n'y a rien de plus désolant que de préparer un bon dîner, de s'asseoir à table et de voir qu'un enfant se détourne de son assiette, pleure pour marquer son opposition ou joue avec les aliments. Efforcez-vous d'ignorer ce comportement pour ne pas gâcher le dîner de tous.

Si vous pensez qu'il s'agit seulement d'un caprice passager, vous pouvez essayer d'ignorer la situation et de continuer à manger comme si de rien n'était. Faites-lui des compliments sur les aspects positifs de son comportement, le fait qu'il soit bien assis à table ou qu'il tienne bien son couteau et sa fourchette. Parlez des événements de la journée plutôt que du repas en lui-même. Essayez d'éviter de comparer son appétit à celui d'autres enfants bons mangeurs. Avec un peu de patience, les choses rentreront dans l'ordre.

Mais si ce comportement devient une habitude, et si les repas se transforment en moments de tensions et d'énervement, il y a peut-être lieu de prendre certaines mesures, car le plaisir d'être ensemble doit passer avant tout.

Premières mesures

● Assurez-vous que l'enfant n'est pas souffrant. A-t-il été malade ? Si oui, il n'est peut-être pas encore rétabli. Si vous êtes inquiète, demandez l'avis de votre médecin.

● Il se peut qu'il souffre des amygdales ou des végétations, et qu'il ait du mal à avaler ; ou bien qu'il soit atteint d'une allergie alimentaire non diagnostiquée (comme l'intolérance au gluten) susceptible de provoquer des maux de ventre après les repas. Consultez votre médecin à cet égard.

● Votre enfant est-il inquiet ou stressé ? Si l'environnement familial a récemment changé (un nouveau bébé peut-être, ou un déménagement) votre enfant est peut-être désorienté ou malheureux.

● Votre enfant est-il en train d'essayer d'attirer votre attention ?

Ci-dessus : *Si l'enfant est bien assis, il sera plus détendu.*

Si son refus semble dû à autre chose

Réfléchissez aux habitudes alimentaires de votre famille. Les repas sont-ils servis à horaires réguliers ? Êtes-vous assis à table, ou bien grignotez-vous debout ? Les repas sont-ils un plaisir, ou bien vous sentez-vous toujours fatiguée et énervée ? Les enfants apprennent tout des parents : le meilleur et le pire. Si vous négligez de vous asseoir à table ou si vous avez l'habitude de vous lever constamment pour faire autre chose, il est difficile de demander à votre enfant de se conduire autrement.

Pour conclure

Parlez du problème en famille. Si vous estimez que les choses sont allées trop loin, le moment est venu d'établir un plan d'action. Expliquez que vous prendrez désormais tous vos repas ensemble, à l'heure et à l'endroit de votre choix. Vous choisirez les menus : il y aura trois repas par jour et rien entre les repas. Etant donné que le lait est bourratif et coupe l'appétit, les boissons lactées ne seront données qu'une fois le repas terminé. De l'eau ou du jus de fruits seront servis pendant les repas.

Il est absolument essentiel de faire participer toute la famille à cette stratégie, afin que personne ne se précipite sur la boîte à biscuits ou le réfrigérateur après l'école. Veillez à ce que votre petit « chipoteur » soit au courant et donnez-lui quelques jours de préavis afin qu'il comprenne bien la situation.

Une fois la stratégie élaborée, établissez vos menus et tenez-y-vous. Veillez à inclure des aliments que votre enfant aime (poulet, carottes par exemple) et à éviter tout de même ce qu'il déteste. Vous pouvez aussi introduire peu à peu quelques aliments nouveaux pour assurer une plus grande variété. Fixez-vous une date limite (une ou deux semaines) et réexaminez la situation une fois cette période écoulée.

COMMENT PASSER À L'ACTION

Lancez votre plan d'action lorsque toute la famille est réunie (un week-end, par exemple) et restez rigoureuse. Mais parlez de ce plan comme d'un jeu, afin qu'il ne ressemble pas à une punition ! Posez des fleurs sur la table et une jolie nappe pour égayer le repas. Commencez la journée par un petit déjeuner normal, mais ne bourrez pas trop l'enfant difficile. S'il mange bien, proposez-lui quelque chose qu'il aime (une pomme, quelques raisins secs, un yaourt aux fruits ou un gâteau sec).

N'oubliez pas les encouragements, mais restez ferme s'il fait un caprice. S'il continue à mal se tenir, emmenez-le dans une autre pièce et expliquez-lui qu'il n'aura rien d'autre à manger que ce qui se trouve sur la table. Rejoignez le reste de la famille, en laissant son assiette sur la table et ne vous occupez plus de lui.

S'il change d'avis au moment où vous avez terminé votre repas, demandez aux autres membres de la famille de revenir à table et d'attendre qu'il ait terminé avant de débarrasser. Tenez-vous à cette façon de faire à tous les repas. Ne cédez pas si l'enfant vous affirme qu'il mangera mieux devant la télévision ou s'il demande son dessert en premier. Expliquez-lui qu'il doit manger comme tout le monde, ou bien ne rien manger du tout.

S'il commence à pleurer, installez-le dans une autre pièce et revenez à table : c'est une attitude difficile, mais nécessaire.

Après quelques jours d'une telle stratégie, certains petits progrès seront visibles. Continuez à n'offrir que de très petites quantités d'aliments, suivis de quelque chose que votre enfant considérera comme une récompense. Se tenir à un tel plan demande du courage et de l'énergie. Mais on peut y arriver si toute la famille participe. N'arrêtez pas avant la date limite prévue, et une fois cette date atteinte, proposez une sortie en famille pour aller manger une pizza ou un hamburger, et laissez votre enfant choisir son repas.

Une alimentation équilibrée et variée

Composez les menus de votre enfant en lui assurant chaque jour des aliments appartenant aux quatre groupes suivants :

Pain, céréales et dérivés : proposez trois ou quatre portions par jour des aliments suivants (céréales de petit déjeuner, pain, pâtes, pommes de terre, riz).

Fruits et légumes : essayez de parvenir à trois ou quatre portions par jour. Les fruits et légumes peuvent être frais, en conserve, surgelés ou secs.

Viande ou autres sources de protides : une portion par jour de viande ou de volaille, poisson (frais, en conserve ou surgelé), un œuf (bien cuit), des légumes secs (lentilles, haricots blancs, haricots rouges, pois chiches, par exemple)...

Produits laitiers : au moins 1 litre de lait par jour, ou éventuellement sous forme de fromage, de petit-suisse ou de yaourt. Si l'enfant commence à refuser le lait, essayez de l'aromatiser ou de l'utiliser dans la confection de crème anglaise, de glace, de riz au lait ou de gratins. Un pot de yaourt ou 50 g (2 oz) de fromage offrent le même apport en calcium que 15 cl (2/3 tasse) de lait entier.

L'IMPORTANCE DU PETIT DÉJEUNER

Le petit déjeuner est un repas important qui ne doit pas être négligé. Essayez de calculer : votre enfant a peut-être dîné à 18 heures la veille, et s'il ne prend pas de petit déjeuner à 8 heures du matin, il aura jeûné pendant 14 heures. Veillez à ce qu'il soit assis et prenez votre temps. Proposez-lui du lait avec ou sans céréales, du jus d'orange frais coupé d'un peu d'eau, quelques tranches de fruits et une petite tartine.

Ci-dessus : *Céréales, pain, pâtes, riz.*

Ci-dessus : *Fruits et légumes (frais, secs, surgelés ou en boîte).*

Ci-dessus : *Viande et autres sources de protides (œufs, poisson, légumes secs).*

Ci-dessus : *Produits laitiers (lait, fromage, yaourt).*

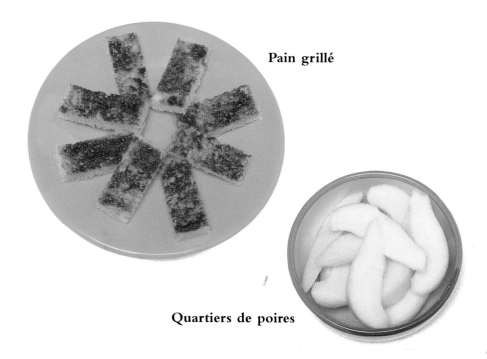

Pain grillé

Quartiers de poires

LES MATIÈRES GRASSES

À l'âge adulte, nous savons qu'il est nécessaire de surveiller notre consommation de matières grasses. Il faut pourtant, dans le cadre des repas familiaux, tenir compte du fait que les lipides constituent une source utile d'énergie dans l'alimentation infantile. Votre enfant y puise ce dont il a besoin pour sa croissance et son développement. Les lipides renferment également des vitamines liposolubles A, D, E et K, ainsi que les acides gras essentiels que le corps ne peut fabriquer seul.

En général, les meilleurs aliments à offrir à l'enfant pour qu'il y trouve son apport lipidique sont ceux qui contiennent également d'autres éléments nutritionnels essentiels : produits laitiers, œufs, viande et poisson. Le lait entier et les produits laitiers tels que le fromage et le yaourt, ainsi que les œufs, renferment les vitamines liposolubles A et D ; alors que l'huile de tournesol ou d'olives, les noix et le poisson gras constituent une excellente source d'acides gras essentiels.

Évitez les fritures, préférez les aliments grillés ou cuits au four. Tous les enfants adorent les frites, mais réservez-les pour les grandes occasions.

LES FRUITS ET LÉGUMES

Les fruits et les légumes frais jouent un rôle essentiel dans une alimentation équilibrée. Proposez à l'enfant des fruits frais au petit déjeuner et au dîner (quartiers de pomme ou rondelles de banane) ; et quelques bâtonnets de carotte ou de céleri crus. Pour ses petits en-cas ou son goûter, habituez-le à consommer des raisins secs, des morceaux d'abricots secs ou des quartiers de pomme, au lieu de gâteaux secs ou de sucreries. Laissez toujours le plateau de fruits à portée de l'enfant : il se laissera tenter par une banane en passant par la cuisine.

Ci-dessus : *La consommation équilibrée d'aliments des quatre principaux groupes assurera à votre enfant l'énergie et les éléments nutritionnels propices à sa croissance.*

LES PETITS GOÛTERS

Les jeunes enfants ne sont pas en mesure de manger suffisamment aux repas pour répondre à leurs besoins énergétiques et autres. Les petits en-cas leur sont nécessaires. Mais limitez les gâteaux secs et les sucreries ; ils n'apportent pas grand-chose et risquent de provoquer des caries dentaires. Au moment des repas, n'apportez pas le dessert avant que l'enfant ait terminé son plat principal.

Ci-dessus : *Limitez les sucreries (remplacez-les par des fruits ou des légumes).*

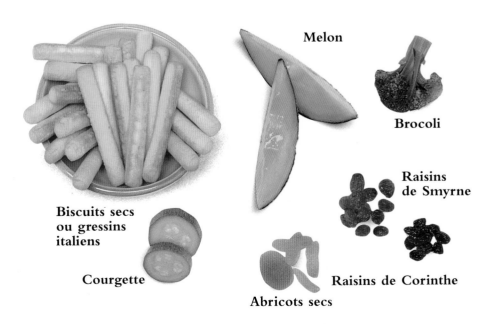

Biscuits secs ou gressins italiens

Courgette

Abricots secs

Melon

Brocoli

Raisins de Smyrne

Raisins de Corinthe

LES DÉJEUNERS : DES RECETTES MAISON

Maintenant que bébé est passé des purées aux vrais petits morceaux, vous pouvez commencer à lui préparer des déjeuners plus « adultes ». Veillez à ce que son régime soit équilibré et essayez de l'initier à une grande variété de goûts et de consistances.

Poulet « façon barbecue »

Pour 2 à 4 portions

4 cuisses de poulet

2 cuillerées à café d'huile d'olive

1 cuillerée à café de jus de citron

1 pincée de curry doux

1 cuillerée à soupe de coulis de tomate

petites pommes de terre, maïs en grains et quartiers de tomate pour garnir

1 Préchauffez le four à 200 °C (400°F). Posez une feuille d'aluminium sur une petite plaque. Enlevez la peau des pilons. Faites deux ou trois incisions dans les pilons avec un couteau bien tranchant et posez-les sur la plaque.

2 Mélangez tous les autres ingrédients, puis enduisez-en les pilons. Passez sous le gril du four pendant environ 10 minutes.

3 Retournez les pilons et arrosez-les à nouveau avec le mélange et le jus de cuisson.

ASTUCE
Vous pouvez remplacer le coulis de tomate par du ketchup. Vous pouvez aussi faire des brochettes de poulet.

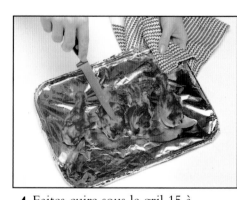

4 Faites cuire sous le gril 15 à 20 minutes encore, jusqu'à ce que le poulet soit bien cuit.

5 Laissez tiédir, puis enveloppez l'extrémité de chaque pilon avec un morceau de feuille d'aluminium. Disposez sur des assiettes et servez avec quelques petites pommes de terre rôties, des grains de maïs bien chauds et des quartiers de tomate.

Poulet à la coriandre

Pour 2 portions

2 morceaux de poulet

1/4 d'oignon

1 petite carotte

1 petit morceau de céleri-rave

1 cuillerée à café d'huile d'olive

1/2 cuillerée à café de coriandre
   en poudre

1 pincée de curcuma

1 cuillerée à café de farine

20 cl (2/3 tasse) de bouillon de volaille

sel, poivre (facultatif)

purée de pommes de terre
   et petits pois pour garnir

1 Préchauffez le four à 180 °C (350°F). Enlevez la peau du poulet. Hachez oignon, carotte et céleri-rave.

2 Dans une poêle, faites chauffer l'huile et faites dorer le poulet de chaque côté. Ajoutez les légumes.

ASTUCE
Pour les jeunes bébés, vous pouvez couper le poulet en tout petits morceaux avant de le cuisiner.

3 Incorporez les épices et la farine, puis versez le bouillon. Salez et poivrez le cas échéant. Portez à ébullition et transférez dans une cocotte.

4 Couvrez et faites cuire au four pendant 1 heure. Disposez sur des assiettes, laissez tiédir et servez avec de la purée de pommes de terre et des petits pois.

Paupiettes de poulet

Pour 2 portions

1 blanc de poulet désossé,
   sans peau (environ 150 g)

30 g de gruyère (1 oz)

1 tranche de jambon maigre,
   découpée en quatre lanières

1 cuillerée à soupe d'huile

pommes de terre nouvelles,
   brocolis et carottes pour garnir

1 Coupez le blanc de poulet en deux dans le sens de la largeur et formez des escalopes d'environ 6 cm de côté.

2 Coupez le fromage en deux et mettez-en un morceau au centre de chaque escalope. Roulez le poulet sur lui-même pour former une paupiette.

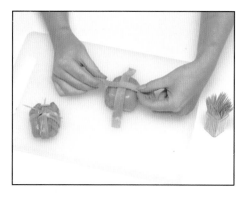

3 Enroulez chaque paupiette dans deux lanières de jambon entrecroisées, et fixez par le dessous avec des cure-dents. Badigeonnez les paupiettes d'huile.

VARIANTE
Vous pouvez remplacer les lanières de jambon par de fines tranches de lard fumé.

4 Posez sur une feuille d'aluminium et mettez au réfrigérateur jusqu'au moment de faire cuire.

5 Préchauffez le gril du four. Faites cuire les paupiettes 10 minutes environ, en les retournant une fois, jusqu'à ce qu'elles soient bien dorées. Jetez les cure-dents, laissez tiédir, puis disposez sur deux assiettes et servez avec les légumes.

Sauté de bœuf aux poivrons

Pour 2 portions

120 g (4 oz) de bœuf (gîte ou faux-filet)
1/4 d'oignon
1/4 de poivron rouge
1/4 de poivron jaune
1 cuillerée à café d'huile d'olive
2 cuillerées à soupe de haricots rouges en conserve, égouttés et rincés
1 cuillerée à café de farine
20 cl (2/3 tasse) de bouillon de volaille
1 cuillerée à soupe de coulis ou de sauce tomate
1 cuillerée à café de sauce anglaise (sauce Worcester)
3 cuillerées à soupe de semoule à couscous
huile
3 cuillerées à soupe de petits pois
sel

4 Portez à ébullition, en remuant, puis transférez dans une cocotte. Couvrez et faites cuire au four pendant environ 1 heure, ou jusqu'à ce que la viande soit bien tendre.

5 Juste avant de servir, mettez la semoule de couscous dans un bol, couvrez d'eau bouillante et attendez 5 minutes. Égouttez dans une passoire et ajoutez quelques gouttes d'huile.

6 Portez à ébullition une casserole remplie d'eau, plongez-y les petits pois et posez la passoire de semoule de couscous au-dessus de la casserole. Couvrez et laissez cuire 5 minutes.

7 Disposez le sauté de bœuf sur deux assiettes ou dans des bols. Aérez le couscous avec une fourchette, égouttez les petits pois et garnissez-en les assiettes. Laissez tiédir avant de servir.

1 Préchauffez le four à 180 °C (350°F). Ôtez le gras du morceau de viande et coupez-le en petits cubes. Hachez l'oignon. Épépinez les poivrons, ôtez-en les côtes et coupez-les en petits dés.

2 Dans une petite poêle ou une casserole, faites chauffer l'huile, mettez la viande et l'oignon, et faites dorer de tous côtés en remuant souvent.

3 Ajoutez les poivrons et les haricots, puis incorporez la farine, le bouillon, le coulis et la sauce Worcester. Salez.

Sauté d'agneau

Pour 2 portions

120 g (4 oz) d'agneau désossé
1/4 d'oignon
1 petite carotte
1/2 navet
1 petite pomme de terre
1 cuillerée à café d'huile
15 cl (2/3 tasse) de bouillon de bœuf
1 pincée de romarin séché
sel

1 Ôtez le gras de l'agneau et coupez-le en petits cubes. Hachez finement l'oignon, coupez la carotte et le navet en petits dés, et la pomme de terre en morceaux un peu plus gros.

2 Dans une poêle de taille moyenne, faites chauffer l'huile, mettez l'agneau et l'oignon et faites-les dorer. Ajoutez alors la carotte, le navet et la pomme de terre, et faites revenir 3 minutes, en remuant souvent.

3 Ajoutez le bouillon et le romarin. Salez. Portez à ébullition, couvrez et laissez cuire de 35 à 40 minutes à feu doux, jusqu'à ce que la viande soit bien tendre.

4 Versez dans des petits bols et laissez tiédir avant de servir.

Bœuf haché à la mexicaine

Pour 3 à 4 portions

1/4 d'oignon
1 morceau de poivron rouge
1/2 petite courgette
120 g (4 oz) de bœuf haché maigre
1 petite gousse d'ail pilée
3 cuillerées à soupe de haricots rouges en conserve
3 cuillerées à soupe de bouillon de bœuf
1 cuillerée à soupe de sauce tomate
18 chips de maïs
60 g (3 oz) de gruyère râpé
salade verte pour garnir

1 Hachez finement l'oignon, coupez la courgette en petits dés, débarrassez le poivron des côtes intérieures et des pépins.

2 Faites revenir l'oignon et la viande hachée quelques minutes dans une casserole de taille moyenne, en remuant souvent.

3 Incorporez le reste des ingrédients et portez à ébullition, en remuant bien. Couvrez et laissez cuire 15 minutes à feu doux, en remuant de temps en temps.

4 Posez les chips de maïs sur les assiettes, recouvrez-les d'un peu de la préparation et parsemez de fromage râpé. Servez avec de la salade verte.

Agneau braisé au céleri

Pour 2 portions

120 g (4 oz) de gigot d'agneau
1/7 d'oignon
1 petite carotte
1 tige de céleri en branche
30 g (1 oz) de champignons de Paris
1 cuillerée à café d'huile
2 cuillerées à café de farine
20 cl (3/4 tasse) de bouillon de bœuf
1 feuille de laurier
sel
purée de pommes de terre et petits choux de Bruxelles pour garnir

1 Préchauffez le four à 180 °C (350°F). Ôtez le gras de l'agneau et coupez-le en petits cubes. Hachez l'oignon et la carotte, lavez le céleri et les champignons, puis émincez-les.

2 Dans une poêle, faites chauffer l'huile, mettez l'agneau, l'oignon et la feuille de laurier et faites revenir quelques minutes en remuant souvent. Ajoutez le reste des légumes et faites revenir 3 minutes encore jusqu'à ce qu'ils soient tendres et légèrement dorés.

VARIANTE

Vous pouvez remplacer le céleri par du fenouil. Son goût légèrement anisé s'accorde particulièrement bien à celui de l'agneau.

3 Incorporez la farine et versez le bouillon. Salez. Portez à ébullition, puis transférez dans une cocotte, couvrez et faites cuire au four 45 minutes environ, ou jusqu'à ce que la viande soit bien tendre.

4 Enlevez la feuille de laurier, et disposez sur les assiettes. Laissez tiédir et servez avec de la purée de pommes de terre et des choux de Bruxelles.

Hachis Parmentier

Pour 2 portions

1/2 oignon
180 g de bœuf haché maigre (6 oz)
2 cuillerées à café de farine
2 cuillerées à soupe de coulis   ou de sauce tomate
20 cl (2/3 tasse) de bouillon de bœuf
1 pincée d'herbes de Provence séchées
1 petit morceau de céleri-rave
1/2 navet
1 pomme de terre de taille moyenne
2 cuillerées à café de lait
1 cuillerée à soupe de beurre
1/2 carotte
3 cuillerées à soupe de petits pois
sel

5 Transférez la viande dans deux ramequins et étalez par-dessus une couche de purée de légumes. Parsemez de petites noisettes de beurre ou de margarine.

6 Faites cuire les ramequins au four pendant 25 à 30 minutes, jusqu'à ce que la purée soit bien dorée et frémissante.

7 Pelez les carottes et coupez-les dans le sens de la longueur en tranches très fines. Découpez éventuellement les tranches en petites formes variées. Faites cuire 5 minutes dans de l'eau bouillante avec les petits pois. Égouttez et servez avec le hachis Parmentier. Souvenez-vous que les ramequins sont très chauds lorsqu'ils sortent du four. Laissez-les refroidir un peu avant de servir.

1 Préchauffez le four à 200 °C (400°F). Hachez finement l'oignon et mettez-le dans une petite casserole avec la viande hachée. Faites revenir à feu doux, en remuant.

2 Incorporez la farine, puis ajoutez le coulis ou la sauce tomate, le bouillon et les herbes. Salez. Portez à ébullition, couvrez et faites mijoter 30 minutes.

3 Pendant ce temps, coupez le céleri-rave, le navet et la pomme de terre en petits morceaux et faites cuire 20 minutes. Égouttez-les.

4 Réduisez-les en purée avec le lait et la moitié du beurre.

Beignets de thon

Pour 2 à 3 portions

1 grosse pomme de terre
1 noisette de beurre
2 cuillerées à café de lait
1 cuillerée à café de jus de citron
100 g (3 1/2 oz) de thon au naturel en boîte
3 cuillerées à soupe de maïs en grains
farine, pour saupoudrer
1 œuf
4 cuillerées à soupe de chapelure
60 g de haricots verts (2 oz)
1/2 carotte
petits pois
1 cuillerée à soupe d'huile
sel

1 Épluchez la pomme de terre et coupez-la en petits morceaux. Plongez-la dans de l'eau en ébullition et laissez-la cuire environ 15 minutes, jusqu'à ce qu'elle soit bien tendre.

2 Égouttez et réduisez en purée avec le beurre, le lait et le jus de citron. Salez. Égouttez le thon, émiettez-le et incorporez-le à la purée avec le maïs.

3 Divisez la préparation en six portions, et façonnez-la en forme de petits poissons en la pétrissant avec les mains farinées.

4 Battez l'œuf dans un bol et mettez la chapelure sur une petite assiette. Plongez les petits poissons dans l'œuf battu, puis recouvrez-les de chapelure. Posez sur une assiette farinée et mettez au réfrigérateur jusqu'au moment de la cuisson.

5 Épluchez les haricots verts, pelez la carotte et coupez-la en bâtonnets un peu plus petits que les haricots verts. Faites cuire rapidement à l'eau avec les petits pois, pendant environ 5 minutes.

6 Pendant ce temps, faites chauffer l'huile dans une poêle et faites frire les beignets sur les deux faces, pendant environ 5 minutes ou jusqu'à ce qu'ils soient bien dorés et croustillants.

7 Posez les beignets sur du papier absorbant, puis sur des assiettes, en mettant un petit pois pour les yeux et en disposant les bâtonnets de carotte et les haricots verts comme si c'étaient des algues. Laissez tiédir avant de servir.

Petits ramequins de poisson

Pour 2 portions

1 pomme de terre de taille moyenne
30 g (1 oz) de chou vert
120 g (4 oz) de filet de cabillaud
2 cuillerées à soupe de maïs en grains
20 cl (2/3 tasse) de lait
1 cuillerée à soupe de beurre
sel
1 cuillerée à soupe de farine
60 g (2 oz) de gruyère râpé
carottes et pois gourmands pour garnir

4 Égouttez le poisson et le maïs, et réservez le liquide de cuisson. Rincez la casserole, puis faites-y fondre le beurre. Incorporez lentement la farine, puis le liquide de cuisson et portez à ébullition, en remuant jusqu'à ce que la préparation soit lisse et onctueuse. Salez.

5 Ajoutez le poisson et le maïs avec la moitié du fromage râpé. Garnissez deux ramequins.

6 Réduisez en purée la pomme de terre et le chou, avec les deux cuillerées à café de lait restantes. Incorporez la moitié du fromage restant et étalez une couche de purée sur le poisson. Parsemez du reste de fromage râpé.

7 Faites dorer sous un gril préchauffé. Laissez tiédir avant de servir, en décorant l'assiette avec des petits poissons de carotte et de pois gourmands.

1 Épluchez la pomme de terre et coupez-la en petits cubes. Hachez finement le chou. Ôtez la peau du filet de cabillaud et rincez-le sous l'eau froide.

2 Portez à ébullition une casserole d'eau, plongez-y la pomme de terre et faites-la cuire 10 minutes environ. Ajoutez alors le chou et laissez cuire 5 minutes de plus, jusqu'à ce qu'il soit tendre. Égouttez.

3 Pendant ce temps, mettez dans une deuxième casserole le poisson, le maïs et le lait, sauf 2 cuillerées à café. Portez à ébullition, couvrez et laissez mijoter de 8 à 10 minutes jusqu'à ce que le poisson s'effeuille facilement.

Papillotes de poisson

Pour 2 portions

1/2 petite courgette
180 g (6 oz) de haddock fumé
1 petite tomate
1 noisette de beurre
1 pincée d'herbes de Provence séchées
sel
pommes de terre nouvelles et brocolis pour garnir

1 Préchauffez le four à 200 °C (400°F). Posez sur un plan de travail deux carrés d'aluminium. Épluchez la courgette et coupez-la en rondelles fines. Posez la moitié des rondelles de courgette sur chaque carré d'aluminium.

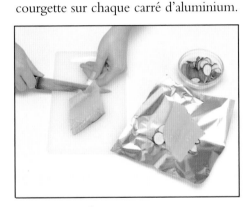

2 Ôtez la peau du poisson, ainsi que toutes les arêtes. Coupez-le en deux morceaux de taille égale et rincez-le sous l'eau froide. Séchez-le et posez-le sur les courgettes.

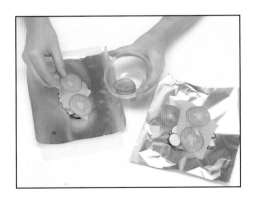

3 Coupez la tomate en rondelles et disposez les rondelles sur chaque morceau de haddock. Ajoutez une noisette de beurre, salez et parsemez d'herbes de Provence.

4 Fermez bien hermétiquement les deux papillotes, posez-les sur une plaque et faites-les cuire au four pendant 15 à 20 minutes, selon l'épaisseur du poisson.

5 Pour savoir où en est la cuisson, ouvrez une papillote et enfoncez la pointe d'un couteau. Si le poisson s'effeuille facilement, il est cuit.

6 Laissez tiédir, puis disposez les papillotes sur des assiettes et servez avec des pommes de terre nouvelles et des brocolis.

Petites saucisses et haricots sauce tomate

Pour 2 portions

3 petites saucisses
1/4 d'oignon
1 petite carotte 1 morceau de poivron rouge
1 cuillerée à café d'huile
1 petite boîte de haricots blancs
2 cuillerées à soupe de coulis de tomate
mouillettes de pain grillé pour garnir

1 Coupez chaque saucisse en deux.

2 Hachez l'oignon, coupez la carotte en dés, épépinez le poivron, puis coupez-le en petits morceaux.

3 Dans une poêle, faites chauffer l'huile et faites-y revenir les saucisses et l'oignon haché.

VARIANTE
Vous pouvez remplacer les saucisses par des petites saucisses cocktail.

4 Ajoutez le reste des ingrédients et 2 cuillerées à soupe d'eau. Couvrez et laissez cuire 15 minutes ou jusqu'à ce que la carotte soit bien tendre.

5 Servez dans des assiettes ou des bols avec des mouillettes de pain grillé et laissez tiédir.

Petits « friands » aux saucisses

Pour 2 portions

6 petites saucisses cocktail
1 cuillerée à café d'huile
4 cuillerées à soupe de farine
1 œuf
4 cuillerées à soupe de lait
sel
haricots blancs et haricots verts pour garnir
2 cuillerées à soupe de coulis ou de sauce tomate

1 Badigeonnez d'huile deux moules à blinis. Faites revenir les saucisses dans une poêle antiadhésive.

2 Dans un saladier, mettez la farine, l'œuf et une pincée de sel. Incorporez lentement le lait, en fouettant jusqu'à obtenir une pâte à crêpe lisse.

3 Versez la pâte dans les moules, ajoutez-y les saucisses et faites cuire au four 15 minutes environ.

4 Détachez les friands avec une lame de couteau et posez-les sur les assiettes. Laissez tiédir et servez avec des haricots en sauce tomate et des haricots verts cuits à la vapeur.

Gratin de porc

Pour 2 portions

180 g (6 oz) de porc maigre
1/4 d'oignon
1 cuillerée à café d'huile
1 cuillerée à café de farine
20 cl (2/3 tasse) de bouillon de volaille
3 cuillerées à soupe de maïs en grains
1 pincée de sauge séchée
1 pomme de terre de taille moyenne
1 carotte
1 noisette de beurre
sel
brocolis et choux de Bruxelles pour garnir

1 Préchauffez le four à 180 °C (350°F). Enlevez le gras du porc s'il y en a et coupez-le en petits cubes. Épluchez l'oignon et émincez-le.

2 Dans une poêle, faites chauffer l'huile, ajoutez la viande et l'oignon, et faites revenir en remuant jusqu'à coloration.

3 Incorporez lentement la farine en remuant sans cesse, puis ajoutez le maïs, la sauge et le bouillon. Salez. Portez à ébullition, puis versez la préparation dans un plat à gratin.

4 Épluchez pomme de terre et carotte, et coupez-les en fines rondelles. Disposez les rondelles sur le porc de façon qu'elles se chevauchent. Ajoutez une noisette de beurre. Couvrez d'une feuille d'aluminium et faites cuire au four pendant 1 heure environ, jusqu'à ce que les pommes de terre soient tendres.

5 Enlevez le papier d'aluminium et faites dorer rapidement sous le gril. Disposez sur des assiettes, laissez tiédir et servez avec des brocolis et des petits choux de Bruxelles cuits à la vapeur.

ASTUCE
Si vous n'avez qu'un seul enfant conservez une des portions au congélateur. Consommez-la dans les trois mois.

Sauté de porc aux légumes

Pour 2 portions

1 petite tranche de filet de porc de 180 g (6 oz) environ
1/4 d'oignon
1 petite carotte
1 cuillerée à café d'huile
1 petite gousse d'ail pilée
2 cuillerées à soupe de riz grains ronds
2 tomates concassées bien mûres
6 cuillerées à soupe de bouillon de volaille
sel
céleri-rave et petits pois pour garnir

1 Préchauffez le four à 180 °C (350°F). Enlevez le gras du filet de porc s'il en reste et coupez-le en deux. Hachez finement l'oignon et coupez la carotte en petits morceaux.

2 Dans une poêle, faites chauffer l'huile, mettez le porc et l'oignon et faites dorer la viande des deux côtés.

3 Ajoutez l'ail et la carotte et remuez bien pour tout mélanger. Faites cuire le riz à l'eau bouillante.

4 Ajoutez le riz, les tomates concassées et le bouillon. Salez. Portez à ébullition. Transférez dans une cocotte, couvrez et faites cuire au four pendant 1 heure 1/4.

5 Disposez sur des assiettes et laissez tiédir. Servez avec du céleri-rave en petits morceaux et des petits pois additionnés d'une noisette de beurre.

ASTUCE

Il n'est pas toujours facile d'apprendre à un enfant à se servir d'un couteau et d'une fourchette. Ce filet de porc étant très tendre lorsqu'il sort du four, il se prête bien à cet apprentissage.

Travers de porc barbecue et petite salade

Pour 2 portions

240 g (8 oz) de travers de porc
2 cuillerées à café d'huile
2 cuillerées à café de sauce tomate
2 cuillerées à café de sauce soja
1 pomme de terre nouvelle, frottée mais non pelée
1 noisette de beurre
Pour la petite salade :
1/2 carotte
1/2 pomme
30 g (1 oz) de chou blanc
2 cuillerées à café de raisins de Corinthe
2 cuillerées à soupe de mayonnaise
rondelles de carotte, quartiers de tomate et bâtonnets de céleri pour garnir

4 Pendant ce temps, épluchez la carotte et pelez la pomme. Râpez-les grossièrement et coupez le chou en très fines lanières.

5 Mettez les légumes dans un bol avec les raisins secs et la mayonnaise et mélangez soigneusement.

6 Disposez les travers sur une assiette. Coupez la pomme de terre en deux. Posez une noisette de beurre ou de margarine sur chaque moitié et servez avec les travers, accompagné de rondelles de carotte découpées en étoile, de bâtonnets de céleri, de quartiers de tomate et de quelques petites cuillerées de salade râpée.

ASTUCE
Vérifiez la température des travers avant de servir, car ils restent chauds très longtemps. Veillez aussi à la fraîcheur de la mayonnaise qui s'abîme très vite.

1 Préchauffez le four à 200 °C (400°F). Placez les travers de porc sur une grille au-dessus de la lèchefrite du four. Mélangez l'huile, la sauce tomate et la sauce soja et badigeonnez les travers de cette sauce « barbecue », en conservant ce qui reste.

2 Versez de l'eau bouillante dans le fond de la lèchefrite. Avec une fourchette, piquez la pomme de terre et placez-la dans le four avec les travers.

3 Faites cuire pendant 1 heure, en retournant les travers une fois pendant la cuisson. Badigeonnez de nouveau avec le reste de sauce barbecue.

Petites quiches lorraines

Pour 12 petites quiches

Pour la pâte brisée
200 g (5 oz) de farine
100 g (4 oz) de beurre
1/2 verre d'eau salée
Pour la garniture
120 g(5 oz) de gruyère râpé
2 très fines tranches de jambon, hachées
120 g (6 oz) de maïs en grains
1 œuf
12 cl (1/2 tasse) de lait
sel, poivre
bâtonnets de carotte et de concombre, pour garnir

1 Préchauffez le four à 200 °C (400°F). Mettez la farine dans une terrine, ajoutez le beurre en petits morceaux, et incorporez-le avec les doigts en ajoutant l'eau salée jusqu'à ce que le mélange s'émiette.

2 Mélangez pour obtenir une pâte bien lisse. Pétrissez légèrement et abaissez la pâte sur un plan fariné.

3 Disposez la pâte dans 12 petits moules à tartelettes ou découpez-la à l'aide d'emporte-pièce et placez-les sur une plaque à pâtisserie.

ASTUCE
Vous pouvez présenter, à côté, un yaourt salé et parsemé de ciboulette hachée. Votre enfant y trempera les bâtonnets de légumes.

4 Mélangez le fromage au jambon et au maïs et répartissez le mélange dans les fonds de tartelette.

5 Battez ensemble l'œuf, le lait, le sel et le poivre, puis versez ce mélange sur les tartelettes.

6 Faites cuire à four chaud de 12 à 15 minutes, jusqu'à ce que les quiches prennent une belle couleur dorée. Servez chaud, avec des bâtonnets de carotte et de concombre.

LES LÉGUMES VERTS

Les légumes sont indispensables aux enfants, essayez donc de leur en proposer toutes sortes avec les plats qu'ils préfèrent.

Bâtonnets de légumes au soja

Pour 2 portions

2 morceaux de poireau de 3 cm environ
30 g (1 oz) de haricots verts
1 lanière de poivron rouge
1 tige de céleri en branche
30 g (1 oz) de germes de soja
1 petite carotte
1 cuillerée à café d'huile
1 cuillerée à café de sauce soja
1 pincée de gingembre en poudre
2 petites saucisses grillées

1 Lavez le poireau, les haricots verts, le poivron, le céleri et les germes de soja. Émincez le poireau, le poivron et le céleri.

2 Faites chauffer l'huile dans une poêle, jetez-y tous les légumes sauf les germes de soja, et faites sauter 3 minutes, en remuant sans cesse.

3 Ajoutez les germes de soja, la sauce soja, le gingembre et 2 cuillerées à café d'eau. Laissez cuire 2 minutes encore, en remuant, jusqu'à ce que les légumes soient bien chauds.

4 Disposez sur des assiettes et laissez tiédir. Servez avec les saucisses grillées.

ASTUCE
Ne laissez pas cuire les légumes trop longtemps. Ils doivent rester suffisamment fermes pour que l'enfant puisse les prendre avec les doigts.

Petites crêpes aux épinards

Pour 2 à 3 portions

60 g (2 oz) d'épinards frais
60 g (2 oz) de farine
1 jaune d'œuf
30 cl (1 1/4 tasse) de lait
1 cuillerée à soupe de beurre
1 cuillerée à soupe de farine
60 g (2 oz) de gruyère râpé
45 g (1 1/2 oz) de jambon de Paris haché
45 g (1 1/2 oz) de champignons de Paris émincés
1 cuillerée à soupe d'huile
quartiers de tomate et pommes de terre nouvelles, pour garnir

1 Lavez les feuilles d'épinards sous l'eau froide, enlevez les côtes et ne gardez que les feuilles, puis mettez-les dans une poêle. Couvrez et laissez cuire de 2 à 3 minutes à feu moyen, en remuant de temps en temps. Versez le liquide de cuisson superflu, laissez refroidir et hachez finement.

2 Dans une terrine, mettez la farine, le jaune d'œuf et un peu de sel et de poivre. Incorporez avec le fouet la moitié du lait pour obtenir une pâte à crêpe homogène. Ajoutez les épinards à la pâte.

3 Dans une casserole, faites fondre le beurre, incorporez la cuillerée à soupe de farine, puis lentement le reste du lait. Portez à ébullition. Ajoutez le fromage, le jambon et les champignons, et mélangez bien. Faites chauffer, couvrez et réservez au chaud.

4 Graissez légèrement une poêle antiadhésive, puis versez-y une cuillerée à soupe de pâte à crêpe. Faites cuire chaque crêpe des deux côtés, puis faites-la glisser sur une assiette et réservez au chaud.

5 Procédez de la même façon pour toute la pâte.

6 Pliez les crêpes en quatre, puis fourrez-les chacune d'une cuillerée de préparation au jambon. Disposez les crêpes sur une assiette et servez avec des quartiers de tomate et quelques petites pommes de terre nouvelles.

ASTUCE

Si c'est la première fois que votre enfant mange des épinards, préparez aussi des crêpes natures. Modifiez éventuellement les ingrédients de la garniture.

Gratin de brocolis et de chou-fleur

Pour 2 portions

90 g (4 oz) de brocolis
90 g (4 oz) de chou-fleur
1 cuillerée à soupe de beurre
1 cuillerée à soupe de farine
20 cl (2/3 tasse) de lait
80 g (3 oz) de gruyère râpé
1/2 tomate
1 œuf
sel

1 Placez l'œuf dans une petite casserole d'eau froide, portez à ébullition et laissez cuire environ 10 minutes jusqu'à ce que l'œuf soit dur.

2 Pendant ce temps, coupez les fleurettes de brocolis et de chou-fleur, puis émincez les tiges de brocolis. Faites cuire à l'eau bouillante dans une casserole, pendant environ 8 minutes, jusqu'à ce que les légumes soient tendres.

3 Égouttez les légumes et essuyez la casserole. Faites-y fondre le beurre, incorporez la farine, puis le lait. Portez à ébullition, en remuant, pour obtenir une préparation épaisse et homogène.

4 Incorporez, en remuant, les deux tiers du gruyère râpé. Salez. Réservez deux des fleurettes de brocolis et incorporez le reste des légumes à la sauce.

5 Répartissez la préparation dans deux petits plats à gratin, et parsemez avec le reste de gruyère râpé.

6 Faites griller jusqu'à obtention d'une belle couleur dorée.

7 Vous pouvez dessiner un visage sur chaque assiette, avec une fleurette de brocolis pour le nez, deux tranches de tomate pour la bouche et deux rondelles d'œuf dur pour les yeux. Laissez tiédir avant de servir.

ASTUCE
On arrive souvent, en disposant les aliments d'une manière amusante, à aiguiser l'appétit d'un enfant difficile.

Barquettes de pommes de terre

Pour 2 portions

2 petites pommes de terre à chair farineuse
1 tranche de jambon
1 tige de poireau de 3 cm
30 g (1 oz) de champignons de Paris
1 cuillerée à café d'huile
2 cuillerées à soupe de maïs
1 cuillerée à soupe de lait
1 noisette de beurre
1/2 courgette râpée
1 carotte râpée
2 tranches de mimolette
sel

1 Préchauffez le four à 210 °C (400°F). Piquez les pommes de terre avec une fourchette et faites-les rôtir au four 1 heure environ. Ou bien, transpercez-les avec une brochette, posez-les sur une feuille de papier absorbant dans un four à micro-ondes et faites cuire à puissance maximale de 7 à 8 minutes.

2 Coupez le poireau en deux dans le sens de la longueur, et lavez-le soigneusement. Émincez-le. Passez les champignons sous l'eau, égouttez-les et coupez-les en lamelles très fines.

3 Dans une poêle antiadhésive, faites chauffer l'huile. Mettez le poireau, les champignons et le maïs et faites revenir environ 3 minutes en remuant fréquemment, jusqu'à ce que les légumes soient tendres. Versez dans un bol et gardez au chaud.

4 Lorsque les pommes de terre sont cuites, coupez-les en deux et évidez-les. Mettez la pulpe dans une terrine avec la préparation de poireau et de champignons. Ajoutez le lait et le beurre. Salez. Mélangez bien. Farcissez les pommes de terre évidées avec ce mélange.

5 Chauffez la dernière cuillerée à café d'huile et faites revenir la courgette et la carotte râpées pendant environ 2 minutes, jusqu'à ce qu'elles soient tendres. Disposez les légumes sur deux petites assiettes en étalant bien avec une fourchette pour couvrir le fond de l'assiette.

6 Posez deux moitiés de pomme de terre sur chaque assiette. Vous pouvez vous amuser à les transformer en bateaux en découpant des voiles triangulaires en jambon ou en mimolette et en les fixant avec des cure-dents.

Chats « feuilletés »

Pour 2 portions

Pour la pâte

De l'huile pour badigeonner

190 g (7 oz) de pâte feuilletée
    surgelée décongelée

1 cuillerée à soupe de farine

1 œuf battu pour le glaçage

Pour la garniture

60 g (2 oz) de brocolis

2 cuillerées à soupe de jardinière
    de légumes fraîche ou surgelée

1 cuillerée à soupe de beurre

1 cuillerée à soupe de farine

15 cl (1/3 tasse) de lait

2 cuillerées à soupe de gruyère râpé

cresson, ciboulette ou germes de soja,
    pour garnir

1 Préchauffez le four à 220 °C (425°F). Huilez légèrement une plaque à pâtisserie. Abaissez la pâte sur un plan de travail légèrement fariné.

2 Découpez quatre chats avec un emporte-pièce. Posez deux chats sur la plaque et badigeonnez la pâte d'œuf.

3 Découpez un rond à l'emporte-pièce ou avec un verre au centre des deux autres chats et posez-les délicatement sur les premiers.

VARIANTE

Vous pouvez varier ces bouchées en prenant des emporte-pièces de formes différentes. Choisissez éventuellement l'animal préféré de votre enfant.

4 Badigeonnez d'œuf la partie supérieure des chats et faites cuire au four 10 minutes.

5 Pendant ce temps, coupez les brocolis en petits dés et faites-les cuire 5 minutes dans une petite casserole d'eau bouillante, avec la jardinière de légumes. Égouttez.

6 Essuyez la casserole et faites-y fondre le beurre. Incorporez la farine, puis lentement le lait. Portez à ébullition et laissez frémir en remuant sans cesse, jusqu'à obtenir une consistance homogène.

7 Réservez deux petits pois et deux morceaux de carotte pour le décor, puis incorporez le reste des légumes dans la sauce, avec le fromage râpé.

8 Répartissez la préparation de légumes dans les deux chats et disposez sur deux assiettes. Décorez avec des petits pois coupés en deux pour les yeux, des petites lamelles de carotte pour les moustaches et du poivron rouge pour le nez. Garnissez l'assiette avec le cresson. Laissez tiédir avant de servir.

Paillassons aux trois légumes

Pour 2 à 4 portions

1 pomme de terre
1/2 carotte
1/2 courgette
2 cuillerées à café d'huile
3 saucisses de type chipolatas
2 cuillerées à soupe de haricots blancs
1 cuillerée à soupe de sauce tomate

1 Râpez la pomme de terre, la carotte et la courgette. Mélangez dans un bol.

2 Placez plusieurs feuilles de papier absorbant sur un plan de travail, et posez-y les légumes. Recouvrez avec du papier absorbant et séchez soigneusement.

3 Faites chauffer l'huile dans une grande poêle. Formez 8 petites galettes avec le mélange de légumes. Tassez-les légèrement avec une fourchette et faites-en sauter quatre pendant 5 minutes, en retournant une fois, jusqu'à ce qu'elles soient tendres et bien dorées des deux côtés.

4 Retirez de la poêle et faites sauter les autres galettes. Laissez tiédir. Pendant ce temps, coupez les saucisses en deux, faites-les griller et réchauffez les haricots dans la sauce tomate.

Pavés de légumes

Pour 2 à 4 portions

1 grosse pomme de terre
1 carotte (environ 60 g /2 oz)
30 g (1 oz) de brocolis
30 g (1 oz) de choux de Bruxelles
1 jaune d'œuf
1 cuillerée à soupe de farine
1 cuillerée à soupe de parmesan frais râpé
1 cuillerée à soupe d'huile
sel
petites pâtes, morceaux de concombre, lanières de jambon
sauce tomate

2 Pendant ce temps, coupez les fleurettes de brocolis et débitez les tiges en petits morceaux. Coupez les choux de Bruxelles en rondelles fines. Passez les légumes sous l'eau froide, et ajoutez-les aux pommes de terre et aux carottes. Laissez cuire 5 minutes encore.

1 Coupez en morceaux la pomme de terre et la carotte. Faites-les cuire à l'eau bouillante pendant 1/4 d'heure, jusqu'à ce qu'elles soient tendres.

3 Égouttez bien, puis réduisez en purée. Incorporez le jaune d'œuf. Salez. Mélangez bien.

4 Prélevez quatre boulettes et façonnez-les en forme de pavés ronds. Roulez-les dans la farine et le parmesan râpé.

5 Dans une poêle, faites chauffer l'huile et faites frire les galettes sur les deux faces jusqu'à ce qu'elles soient bien dorées. Laissez légèrement tiédir, puis servez accompagné de petites pâtes, de lanières de jambon, de quelques bâtonnets de concombre et de sauce tomate.

VARIANTE
Vous pouvez également servir à votre enfant les différents éléments de la garniture séparément.

Lasagnes aux légumes

Pour 2 à 3 portions

1/4 de petit oignon
60 g (2 oz) de carottes
60 g (2 oz) de courgettes
60 g (2 oz) d'aubergines
30 g (1 oz) de champignons de Paris
2 cuillerées à café d'huile
1 petite gousse d'ail pilée
2 tomates bien mûres
1 pincée d'herbes de Provence
1 cuillerée à soupe de beurre
1 cuillerée à soupe de farine
15 cl (2/3 tasse) de lait
4 cuillerées à soupe de parmesan râpé ou de mozzarelle
1 paquet de lasagnes précuites
sel, poivre
crudités mélangées, pour garnir

1 Hachez finement l'oignon et la carotte, coupez la courgette et l'aubergine en petits dés. Essuyez les champignons et coupez-les en lamelles très fines.

2 Faites sauter les légumes 3 minutes dans l'huile chaude, jusqu'à ce qu'ils soient tendres. Ajoutez l'ail, les tomates pelées et épépinées et les herbes, portez à ébullition, couvrez et laissez mijoter à feu doux pendant 5 minutes.

3 Dans une casserole, faites fondre le beurre et incorporez la farine. Ajoutez le lait et portez à ébullition, en remuant jusqu'à ce que la préparation ait épaissi. Incorporez la moitié du fromage. Salez.

4 Préchauffez le four à 180 °C (350°F). Versez un tiers de la préparation de légumes sur le fond d'un plat à gratin, puis une couche de sauce. Posez une feuille de lasagne, puis recouvrez d'une moitié du reste de légumes et d'une moitié du reste de sauce.

5 Posez une deuxième feuille de lasagne, et recouvrez du reste des légumes. Posez une troisième feuille de lasagne et recouvrez du reste de la sauce au fromage. Parsemez avec le reste du fromage.

6 Faites cuire au four de 50 à 60 minutes, en vérifiant après 1/2 heure que le gratin ne dore pas trop vite. Si c'est le cas, recouvrez d'une feuille d'aluminium, sans trop appuyer. Disposez sur des assiettes et laissez tiédir légèrement. Servez avec diverses crudités.

Aubergines à la bolognaise

Pour 2 portions

60 g (2 oz) d'aubergines
1 lanière de poivron rouge
1 lanière de poivron jaune
1 tige de poireau de 3 cm
1 carotte
2 cuillerées à café d'huile d'olive
1 petite gousse d'ail pilée
2 cuillerées à soupe de maïs
3 tomates bien mûres
25 cl (1 tasse) de bouillon de légumes
1 pincée d'herbes séchées
60 g (2 oz) de petites pâtes
1 noisette de beurre
2 cuillerées à soupe de parmesan râpé
sel

3 Ajoutez l'ail, le maïs, les tomates pelées et épépinées, le bouillon et les herbes. Salez.

4 Portez à ébullition, couvrez et laissez cuire environ 30 minutes à feu doux. Remuez de temps en temps et ajoutez un peu de bouillon s'il le faut.

5 Pendant les dernières 10 minutes de cuisson, plongez les pâtes dans de l'eau bouillante et faites-les cuire 10 minutes environ.

6 Égouttez les pâtes et ajoutez une noisette de beurre. Disposez sur des assiettes et nappez de sauce bolognaise aux aubergines. Parsemez de parmesan râpé.

1 Lavez à l'eau froide l'aubergine, le poireau et les poivrons, pelez la carotte. Coupez les légumes en julienne.

2 Dans une casserole de taille moyenne, faites chauffer l'huile, versez les légumes et faites sauter 3 minutes, en remuant souvent, jusqu'à ce qu'ils soient légèrement attendris.

ASTUCE
Saupoudrez les aubergines de sel, laissez-les dégorger 30 minutes, puis rincez. Ceci atténue leur goût amer.

LES DÎNERS RAPIDES

Si votre journée a été longue, voici des idées de petits dîners rapides et savoureux (ils sont prêts en moins de dix minutes ! Pensez à varier les menus et n'oubliez pas l'importance d'une présentation amusante qui encourage l'enfant à découvrir des aliments nouveaux.

Émincé de poulet « minute »

Pour 2 portions

90 g (4 oz) de poulet froid
1 tige de céleri en branche
2 cuillerées à soupe de maïs
1 cuillerée à soupe de crème fraîche
1 cuillerée à café de moutarde douce
1/2 cuillerée à café de coriandre en poudre
1/2 petit sachet de pommes de terre chips
1 cuillerée à soupe de gruyère râpé
sel
petits pois et brocolis, pour garnir

2 Transférez dans un plat à gratin et tassez légèrement en laissant un tiers du plat vide.

3 Versez les chips dans la partie vide du plat, puis étalez-les sur le poulet. Parsemez la préparation au poulet de fromage râpé et mettez au four pendant 10 minutes, jusqu'à ce que le plat soit bien chaud et frémissant.

4 Laissez légèrement tiédir, et servez avec des petits pois et des brocolis.

1 Préchauffez le four à 220 °C (420°F). Passez le céleri sous l'eau froide, coupez-le en fines lamelles et mettez-le dans un grand bol avec le maïs, la crème fraîche, la moutarde et la coriandre. Salez légèrement. Coupez le poulet en petits cubes, versez dans le bol et mélangez bien.

VARIANTE
Émincé de poulet à la mexicaine
Remplacez la coriandre par du cumin en poudre et les pommes de terre chips par des chips de maïs.

Bâtonnets de poulet et frites

Pour 2 portions

150 g (5 oz) de blanc de poulet désossé, sans peau
60 g (2 oz) de gruyère râpé
200 g (8 oz) de chapelure
1 cuillerée à soupe de beurre
120 g (4 oz) de frites surgelées à cuire au four
1/2 carotte, coupée en rondelles
1/2 courgette, coupée en tranches fines
3 cuillerées à soupe de sauce tomate

1 Coupez le poulet en fines lanières.

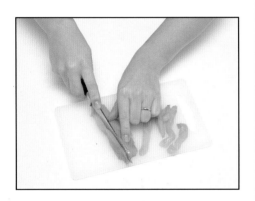

2 Sur une assiette, mélangez le gruyère râpé et la chapelure. Faites fondre le beurre. Trempez les lanières de poulet dans le beurre fondu, puis roulez-les dans la chapelure.

3 Disposez les lanières de poulet et les frites sur une plaque revêtue de feuille d'aluminium. Préchauffez le gril du four et portez à ébullition une casserole d'eau.

4 Faites griller le poulet de 6 à 8 minutes dans une poêle antiadhésive. Pendant ce temps, faites cuire les frites au four de 8 à 10 minutes, en les retournant une fois, jusqu'à ce qu'elles soient bien dorées.

5 Faites cuire les légumes à l'eau bouillante pendant environ 5 minutes, jusqu'à ce qu'ils soient tendres.

6 Versez de la sauce tomate dans deux petits ramequins que vous posez au centre de deux assiettes. Égouttez les légumes et répartissez le poulet, les frites et les légumes dans l'assiette. Laissez légèrement tiédir avant de servir. Votre enfant s'amusera à les tremper lui-même dans la sauce.

VARIANTE

Vous pouvez remplacer les frites par des beignets de courgette et la sauce tomate par du fromage blanc salé auquel vous aurez ajouté des fines herbes émincées.

Poulet sauce aigre-douce

Pour 2 portions

60 g (2 oz) de riz long grain
1 carotte
1 petite courgette
2 cuisses de poulet sans peau
1 cuillerée à café d'huile
2 cuillerées à soupe de petits pois
1 cuillerée à café de fécule
1 cuillerée à café de sauce soja
2 cuillerées à café de sauce tomate
4 cuillerées à soupe de jus d'orange
1 œuf battu

1 Faites cuire le riz à l'eau bouillante.

2 Pendant ce temps, épluchez la carotte et la courgette et coupez-les en petites lanières. Désossez le poulet et coupez-le en petits cubes.

3 Dans une poêle antiadhésive, faites chauffer l'huile et faites sauter 5 minutes la carotte, la courgette, le poulet et les petits pois.

4 Mélangez la fécule et la sauce soja, puis ajoutez-y la sauce tomate et le jus d'orange. Laissez mijoter, en remuant sans cesse, jusqu'à ce que la sauce soit onctueuse.

ASTUCE
Faites de ce repas un moment amusant : servez-le dans des bols chinois avec des cuillères chinoises (les baguettes seraient trop difficiles à manier !). Tous les enfants adorent l'idée de se sentir au restaurant.

5 Égouttez soigneusement le riz. Ajoutez-y l'œuf battu, et laissez cuire à feu très doux en remuant jusqu'à ce que l'œuf soit brouillé.

6 Disposez le riz et le poulet à la sauce aigre-douce sur des assiettes, et laissez tiédir avant de servir.

Œufs brouillés à la tomate et au jambon

Pour 2 portions

2 tranches de jambon

1 tomate

1 petite lamelle de poivron jaune

2 œufs

1 cuillerée à soupe de lait

2 tranches de pain de mie

1 noisette de beurre

sel

1 Hachez finement le jambon. Fendez la tomate, épépinez-la et coupez-la en petits dés. Hachez finement le poivron jaune.

2 Battez les œufs avec le lait, salez légèrement. Faites griller les tranches de pain de mie.

3 Dans une casserole, faites fondre le beurre, versez les œufs, le jambon, la tomate et le poivron et faites cuire à tout petit feu en remuant sans cesse, jusqu'à obtention d'une consistance onctueuse. Laissez légèrement refroidir.

4 Beurrez les tranches de pain grillé et utilisez des emporte-pièce pour créer des petites formes amusantes. Disposez sur des assiettes avec les œufs.

ASTUCE

Si vous ne disposez pas d'emporte-pièce, coupez les tranches de pain grillé en triangles et en carrés.

Petit clown au jambon

Pour 2 portions

2 tranches de jambon

1 tomate cerise

2 tranches de pomme

1 tranche de fromage

2 raisins secs

2 rondelles d'œuf dur

quelques brins de cresson, de germes
de soja ou de persil

2 longues et fines tranches de carotte

1 Avec un emporte-pièce ou un verre, découpez deux cercles dans les tranches de jambon. Disposez le jambon sur deux assiettes, ajoutez une moitié de tomate pour le nez et une tranche de pomme pour la bouche.

2 Pour les yeux, découpez dans la tranche de fromage quatre petits triangles ou étoiles. Posez-les sur le jambon, avec des raisins secs pour les pupilles.

3 Coupez les rondelles d'œuf dur en deux et ajoutez-les au visage du clown pour former les oreilles. Pour les cheveux, ciselez finement le cresson ou le persil, et découpez les morceaux de carotte pour faire un col.

ASTUCE

Amusez-vous à changer le visage du clown. Servez-vous de lamelles de fromage, de radis, de pêches, de raisins secs, de laitue et de poivron rouge...

128 PREMIERS REPAS DU PETIT ENFANT

Tortilla

Pour 2 portions

2 fines tranches de jambon
1 lamelle de poivron rouge
1 cuillerée à soupe de petits pois
60 g (2 oz) de frites
1 cuillerée à café d'huile
1 œuf
sel
quartiers de tomate, pour garnir

1 Hachez le jambon et le poivron. Mélangez le poivron aux petits pois. Coupez les frites en petits morceaux.

2 Chauffez l'huile dans une poêle antiadhésive, et faites légèrement dorer les frites pendant 5 minutes, en remuant. Ajoutez le poivron et les petits pois, et faites cuire 2 minutes encore en remuant sans cesse. Incorporez le jambon haché.

3 Battez l'œuf en omelette avec 2 cuillerées à café d'eau, salez, puis versez dans la poêle. Veillez à ce que la préparation en recouvre bien le fond.

4 Faites cuire de 2 à 3 minutes à feu doux jusqu'à ce que la tortilla soit bien cuite et dorée. Faites-la glisser sur une assiette plate, puis laissez-la cuire quelques minutes encore sur l'autre face.

5 Découpez la tortilla en plusieurs parts que vous disposez sur deux assiettes. Laissez tiédir et servez avec des quartiers de tomate.

Pâtes au jambon et aux légumes

Pour 2 portions

60 g (2 oz) de petites pâtes
60 g (2 oz) de jardinière de légumes
1 cuillerées à soupe de beurre
1 cuillerées à soupe de farine
20 cl (2/3 tasse) de lait
120 g (4 oz) de gruyère râpé
2 tranches de jambon hachées
sel

3 Incorporez deux tiers du fromage râpé, ajoutez les pâtes et les légumes égouttés, puis le jambon. Salez.

4 Versez dans deux bols et parsemez du reste de fromage. Laissez refroidir s'il le faut.

VARIANTE

Cette recette est tout aussi savoureuse si vous remplacez le jambon par 100 g (3 1/2 oz) de thon au naturel, égoutté et émietté.

1 Faites cuire les pâtes à l'eau bouillante pendant 5 minutes. Ajoutez les légumes et laissez cuire 5 minutes encore. Égouttez.

2 Dans une casserole de taille moyenne, faites fondre le beurre, puis incorporez la farine. Ajoutez lentement le lait et portez à frémissement. Continuez de remuer jusqu'à ce que la sauce ait épaissi et pris une consistance onctueuse.

Petites brochettes

Pour 2 à 3 portions

1 tomate
3 tranches de jambon
1/2 poivron jaune
6 champignons de Paris
6 saucisses cocktail
2 cuillerées à café de ketchup
2 cuillerées à café d'huile
petites pâtes, pour garnir

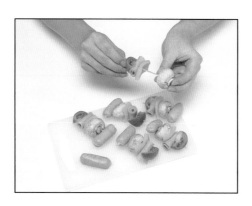

1 Préchauffez le gril du four. Coupez la tomate en six quartiers, et chaque tranche de jambon en deux rubans que vous roulez. Coupez le poivron en six morceaux après l'avoir épépiné. Rincez les champignons.

2 Préparez six brochettes en enfilant un quartier de tomate, un rouleau de jambon, un morceau de poivron, un champignon et une saucisse sur des piques de bois.

ASTUCE
Vous pouvez utiliser du bacon plutôt que du jambon.

3 Sur une plaque, posez une feuille d'aluminium et disposez les brochettes. Mélangez le ketchup et l'huile, et badigeonnez les brochettes de cette sauce. Faites griller 10 minutes en retournant une fois et en arrosant avec le jus, jusqu'à ce que les légumes soient bien dorés et les saucisses cuites à point.

4 Laissez tiédir et disposez sur des assiettes avec des petites pâtes.

Petites saucisses roulées au jambon

Pour 2 portions

4 tranches de jambon
2 cuillerées à café de sauce « barbecue »
4 petites saucisses
haricots blancs à la sauce tomate et pommes de terre sautées, pour garnir

1 Étalez la sauce barbecue sur une face de chaque tranche de jambon.

2 Coupez les tranches de jambon en trois minces lanières, puis enroulez trois lanières sur chaque saucisse. Fixez avec un cure-dents en bois.

3 Faites griller 10 minutes environ, en retournant plusieurs fois, pour que le jambon devienne bien doré et croustillant.

4 Laissez tiédir, puis ôtez les cure-dents et servez les saucisses roulées avec des haricots à la sauce tomate et des pommes de terre sautées.

VARIANTE
Vous pouvez remplacer le jambon par du lard fumé.

Sauté de bœuf froid

Pour 2 portions

1 pomme de terre
2 cuillerées à café d'huile
60 g (2 oz) de chou vert
120 g (4 oz) de bœuf cuit
(reste de pot au feu, par exemple)
1 pincée de curcuma
1 cuillerée à soupe de coulis de tomate
quelques rondelles d'œuf dur,
pour décorer

1 Coupez la pomme de terre en petits cubes et faites cuire à l'eau bouillante 3 à 4 minutes. Égouttez-la.

2 Dans une sauteuse, versez l'huile et faites chauffer à feu moyen. Jetez-y les cubes de pomme de terre et laissez cuire 3 minutes environ.

3 Pendant ce temps, hachez finement le chou et coupez le bœuf en petits morceaux.

4 Dans la sauteuse, ajoutez le chou et le curcuma et laissez cuire 2 minutes. Incorporez-y le bœuf et laissez cuire encore 2 minutes.

5 Ajoutez le coulis de tomate, mélangez, et versez dans deux petites assiettes creuses. Laissez légèrement tiédir avant de servir. Décorez avec les rondelles d'œuf dur.

VARIANTE

Vous pouvez également décorer ce plat avec des quartiers de tomate.

Petits colliers de boulettes

Pour 2 portions

20 g (1 3/4 oz) de mie de pain
4 cuillerées à soupe de lait chaud
120 g (4 oz) de steak haché maigre
1 cuillerée à café d'huile
1/2 carotte
1 lamelle de poivron rouge
1 lamelle de poivron jaune
quelques gouttes de ketchup

1 Mettez la mie de pain dans un bol, versez le lait chaud dessus. Laissez reposer quelques minutes et pressez pour exprimer l'excédent de liquide. Assaisonnez légèrement.

2 Incorporez la viande hachée à la mie de pain trempée et, les mains farinées, formez 10 petites boulettes.

3 Préchauffez le gril. Posez une feuille d'aluminium sur la grille et disposez-y les boulettes régulièrement espacées. Badigeonnez-les légèrement d'un peu d'huile. Faites-les griller de 7 à 8 minutes, jusqu'à ce qu'elles soient bien dorées, en les retournant une fois pendant la cuisson.

4 Pendant ce temps, coupez la carotte en rondelles fines. Épépinez les lanières de poivron et coupez-les en petits morceaux.

5 Disposez les boulettes en rond, sur le bord inférieur de deux assiettes, en les espaçant un peu.

ASTUCE

Il est plus simple, pour cette recette, d'utiliser du ketchup en flacon souple. Si vous en avez le temps et l'envie, décorez les assiettes en inscrivant sur le bord les initiales de l'enfant ou le chiffre correspondant à son âge.

6 Insérez les rondelles de carotte et les morceaux de poivron entre chaque boulette, et terminez avec une ligne et un petit nœud de ketchup pour figurer le cordon du collier.

Hamburgers aux champignons

Pour 2 portions

1/4 d'oignon
30 g (2 oz) de champignons de Paris
120 g (4 oz) de steak haché maigre
120 g (4 oz) de frites surgelées à cuire au four
2 petits pains ronds à hamburger
2 cuillerées à café de ketchup
1 tomate coupée en rondelles
sel

1 Hachez finement l'oignon, essuyez les champignons et coupez-les en très fines lamelles. Dans un grand bol, mettez la viande hachée, ajoutez l'oignon et les champignons. Salez, mélangez soigneusement, ou passez l'ensemble au mixer.

2 Les mains farinées, formez deux hamburgers de 8 cm (3 po) de diamètre ou utilisez un emporte-pièce rond ou un verre.

3 Préchauffez le gril du four. Découpez deux morceaux de feuille d'aluminium. Repliez-en les bords et posez-les sur la grille du four. Mettez les hamburgers d'un côté et les frites de l'autre.

4 Faites cuire les hamburgers et les frites 10 minutes, en les retournant une fois. Sortez du gril et réservez au chaud. Coupez les petits pains ronds en deux et faites-les griller du côté mie.

5 Tartinez de ketchup les petits pains, posez dessus les rondelles de tomate, puis le steak haché et couvrez de la seconde moitié de pain. Coupez le tout en deux et disposez sur des assiettes avec les frites. Laissez tiédir s'il le faut avant de servir.

Petits poissons panés

Pour 2 portions

120 g (4 oz) de filet de cabillaud
1/2 œuf battu
4 cuillerées à soupe de chapelure
2 cuillerées à café d'huile
1 cuillerée à soupe de petits pois (en boîte)
4 grains de maïs (en boîte)
1 carotte
petites pâtes et coulis de tomate, pour garnir

1 Coupez le poisson en quatre morceaux.

2 Mettez l'œuf dans une petite assiette creuse. Déposez la chapelure sur une autre assiette. Trempez les morceaux de poisson dans l'œuf, puis dans la chapelure en prenant soin de bien les enrober.

3 Faites chauffer l'huile dans une poêle, mettez-y le poisson et faites sauter de 4 à 5 minutes, jusqu'à ce que les morceaux de poisson soient cuits et bien dorés.

4 Pendant ce temps, réchauffez les petits pois et le maïs. Coupez la carotte en longues tranches fines, puis découpez-y des nageoires et des queues, et de petits triangles pour la bouche.

5 Disposez les morceaux de poisson sur deux assiettes, avec les formes de carotte, des grains de maïs pour les yeux et des petits pois pour les bulles. Servez avec des petites pâtes accompagnées de coulis de tomate.

ASTUCE

Vous pouvez congeler les morceaux de poisson panés quand ils sont crus. Congelez-les sur un plateau, puis enveloppez-les hermétiquement pour éviter qu'ils ne transfèrent leur odeur aux autres aliments dans le congélateur.

Risotto au thon

Pour 2 portions

1 cuillerée à café d'huile
1/4 d'oignon, finement émincé
60 g (2 oz) de riz blanc long grain
60 g (2 oz) de jardinière de légumes
1 petite gousse d'ail pilée
2 cuillerées à café de coulis de tomate
100 g (3 1/2 oz) de thon en conserve au naturel
sel

1 Dans une petite casserole, faites chauffer l'huile. Versez les oignons hachés et faites revenir 3 minutes environ, jusqu'à ce qu'ils aient blondi.

2 Ajoutez le riz, les légumes, l'ail, le coulis de tomate et 25 cl (1 tasse) d'eau. Salez.

VARIANTE

Vous pouvez remplacer le thon par des restes froids de poulet, d'agneau ou de bœuf cuits.

3 Portez à ébullition et laissez mijoter 10 minutes à découvert. Égouttez le thon, émiettez-le puis incorporez-le à la préparation en remuant soigneusement. Laissez cuire de 3 à 4 minutes, en remuant de temps en temps, jusqu'à ce que l'eau ait été absorbée par le riz, et que le riz soit tendre.

4 Disposez sur des assiettes et laissez tiédir avant de servir.

Cabane de poisson pané

Pour 2 portions

4 bâtonnets de poisson pané (surgelés)
30 g (1 oz) de chou vert
8 pois gourmands
2 petits pois
1 lamelle de poivron vert
1 lamelle de poivron rouge

1 Faites griller les bâtonnets de poisson pendant 10 minutes, en les retournant une fois, jusqu'à ce qu'ils soient bien dorés. Pendant ce temps, ciselez le chou et faites-le cuire 3 minutes à l'eau bouillante. Ajoutez les pois gourmands et les petits pois et laissez cuire 2 minutes encore. Égouttez soigneusement les légumes.

2 Disposez deux bâtonnets côte à côte sur chaque assiette. Coupez les pois gourmands et disposez-les de façon à faire un toit recouvrant légèrement le bord des bâtonnets de poisson.

VARIANTE

Cabane en saucisses

Utilisez quatre petites saucisses cocktail pour chaque cabane. Prenez des haricots verts pour le toit et des épinards ciselés pour l'herbe.

3 Découpez quatre fenêtres dans le poivron vert, et deux portes dans le poivron rouge. Posez-les sur les cabanes, avec un petit pois pour la poignée de porte. Disposez le chou devant la cabane pour figurer l'herbe.

LES SANDWICHS

Tous les enfants, même les plus difficiles, aiment manger du pain, un aliment bien pratique et rapide à servir. Proposez-leur de nouvelles saveurs avec ces appétissants petits en-cas.

Canapés grillés

Pour 2 portions

4 tranches de pain de mie
beurre pour tartiner
120 g (8 oz) de mimolette râpée
4 tomates cerises
3 rondelles de concombre

VARIANTE

Canapés « pizza »

Tartinez les canapés de sauce tomate. Hachez finement une tomate. Répartissez-la sur les canapés, puis parsemez-les de fromage râpé. Faites griller jusqu'à ce que le fromage grésille et prenne une belle couleur dorée.

1 Faites légèrement griller les tranches de pain et ôtez-en la croûte. Avec des emporte-pièce, faites des carrés, des étoiles, des triangles et des ronds.

2 Beurrez-les et disposez-les sur une tôle. Parsemez de fromage râpé.

3 Faites griller jusqu'à ce que le fromage grésille. Laissez tiédir, disposez sur une assiette et servez avec des quartiers de tomate et des rondelles de concombre coupées en quatre.

La famille « sandwich »

Pour 2 portions

3 tranches de pain de mie
beurre pour tartiner
3 fines tranches de fromage à raclette
2 tranches de jambon
brins de cresson ou de fines herbes
1 lamelle de poivron rouge
1/2 carotte
petits morceaux de concombre

1 Avec des emporte-pièce, découpez des petits bonshommes et de petites bonnes femmes dans les tranches de pain. Beurrez-les.

2 Découpez des robes pour les « mamans » dans le fromage. Posez-les sur trois des personnages. Découpez des chemises dans le fromage, et des pantalons et des bretelles dans le jambon. Posez sur les autres personnages.

3 Prenez quelques feuilles de cresson et utilisez-les pour les yeux. Découpez de toutes petites bouches dans le poivron rouge. Décorez joliment les assiettes avec la carotte et le concombre.

Papillons de pain perdu

Pour 2 portions

4 petites fleurettes de brocolis
8 petits pois
1 petite carotte
1 tranche de fromage à raclette
2 tranches de jambon
2 tranches de pain de mie
1 œuf
2 cuillerées à café de lait
1 cuillerée à café de beurre
sauce tomate

1 Faites cuire 5 minutes à l'eau bouillante les fleurettes de brocolis et les petits pois. Égouttez-les bien.

2 Pour chaque papillon : coupez quatre minces rondelles de carotte et découpez-y des petites fleurs. Découpez également quatre petits carrés dans la tranche de fromage.

3 Coupez quatre minces rubans dans le reste de la carotte pour les antennes. Roulez les deux tranches de jambon et posez-les au milieu de deux assiettes pour créer deux corps de papillon.

4 Découpez les ailes de papillon dans les tranches de pain avec un petit couteau.

VARIANTE
Prenez un bâtonnet de blanc de poulet cuit pour faire le corps.

5 Battez ensemble l'œuf et le lait, puis trempez-y le pain. Faites fondre le beurre dans une poêle antiadhésive et mettez-y les tranches à rissoler.

6 Assemblez les papillons en plaçant les ailes en pain perdu et en décorant avec les légumes et le fromage. Déposez une noix de sauce tomate pour figurer la tête des papillons.

Fleurs de thon

Pour 2 à 3 portions

6 fines tranches de pain de mie
30 g (1 oz) de beurre
2 cuillerées à café de farine
5 cuillerées à soupe de lait
4 cuillerées à soupe de gruyère râpé
100 g (3 1/2 oz) de thon en conserve au naturel, égoutté
4 cuillerées à soupe de jardinière de légumes
1/2 carotte
6 rondelles de concombre coupées en deux
brins de cresson ou de fines herbes
sel, poivre (facultatif)

1 Préchauffez le four à 200 °C (400°F). Découpez six fleurs dans les tranches de pain avec un emporte-pièce. Aplatissez légèrement chaque fleur avec un rouleau à pâtisserie.

4 Incorporez la farine au reste du beurre fondu (il doit vous en rester environ 2 cuillerées à café). Puis incorporez lentement le lait et portez à frémissement. Tournez jusqu'à obtention d'une sauce épaisse et onctueuse.

5 Incorporez-y 3 cuillerées à soupe de fromage râpé, le thon et les légumes. Salez.

6 Faites bien chauffer la préparation, puis versez-en une petite quantité dans chacune des fleurs de pain. Parsemez du reste de fromage râpé.

7 Disposez les fleurs de thon sur des assiettes. Coupez la carotte en minces rubans pour former les tiges et décorez l'assiette avec des moitiés de rondelle de concombre pour les feuilles et du cresson ciselé pour l'herbe.

2 Faites fondre le beurre dans une casserole ou au four à micro-ondes. Badigeonnez légèrement l'une des faces de pain, puis pressez la face beurrée dans les creux d'un moule à tartelettes. Badigeonnez de beurre fondu l'autre face du pain.

3 Faites cuire au four de 10 à 12 minutes, jusqu'à ce que les fleurs soient croustillantes et dorées sur les bords.

Toasts « jeu de morpion »

Pour 2 portions

8 haricots verts
1/4 de poivron rouge
1 morceau de saucisse sèche
2 tranches de pain de mie
beurre pour tartiner
120 g (4 oz) de fromage à raclette

VARIANTE
Pour changer, servez-vous de fines lanières de carotte ou de jambon pour la grille, de rondelles de saucisse de Francfort ou de carotte pour les O, et de lamelles de poivron vert pour les X.

1 Épluchez les haricots verts, épépinez le poivron et coupez-le en très fines lamelles, puis coupez la saucisse en fines rondelles.

2 Faites cuire les haricots verts à l'eau bouillante pendant 5 minutes. Faites légèrement griller les tranches de pain et beurrez-les. Coupez le fromage en lamelles fines que vous posez sur les tranches de pain grillées.

3 Égouttez les haricots verts et disposez-en quatre sur chaque tranche pour dessiner une grille de morpion. Ajoutez des X formés de lamelles de poivron et des O formés de rondelles de saucisse sèche.

4 Placez les toasts sous le gril du four et faites griller jusqu'à ce que le fromage ait doré. Disposez sur des assiettes et laissez tiédir avant de servir.

Toasts aux deux fromages

Pour 2 portions

2 tranches de pain de mie
beurre pour tartiner
60 g (2 oz) de gruyère
60 g (2 oz) de mimolette
2 tomates cerises, pour décorer

1 Faites légèrement griller le pain des deux côtés, puis beurrez-les.

2 Coupez des lamelles fines de gruyère et de mimolette. Posez-les sur le pain en alternant les couleurs, et faites griller jusqu'à ce que le fromage soit bien doré.

3 Laissez tiédir, puis coupez en quatre et disposez sur des assiettes. Décorez avec des moitiés de tomates cerises.

VARIANTE
Pour changer, transformez-les en croque-monsieur en plaçant une fine tranche de jambon sous la couche de fromage.

Petits friands « minute »

Pour 18 friands

8 tranches de pain de mie

12 petites saucisses cocktail

3 cuillerées à soupe de beurre

bâtonnets de carotte ou de concombre,
    pour garnir

1 Préchauffez le four à 190 °C
(375°F). Ôtez la croûte des
tranches de pain et coupez-les en
lanières à peine plus étroites que les
saucisses.

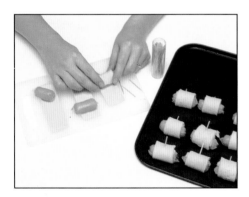

2 Enroulez chaque saucisse dans une
tranche de pain et fermez avec un
cure-dents en bois. Posez les rouleaux
de saucisse sur une tôle.

3 Faites fondre le beurre dans une
petite casserole ou au four à micro-
ondes, et badigeonnez-en les friands.

ASTUCE

Vous pouvez, pour relever un peu le
goût des friands, étaler un peu de
moutarde douce sur le pain avant
de l'enrouler autour des saucisses. Si
les tranches de pain sont trop
épaisses, aplatissez-les légèrement
avec un rouleau à pâtisserie avant de
les enrouler autour des saucisses.

4 Faites cuire au four 15 minutes
environ. Laissez tiédir et enlevez les
cure-dents. Disposez sur une assiette et
servez avec des bâtonnets de carotte et
de concombre.

Pizza « pendule »

Pour 3 à 4 portions

pâte à pizza

3 cuillerées à soupe de sauce tomate

2 tomates

180 g (12 oz) de fromage râpé
   ou de mozzarelle

1 pincée de romarin séché

1 poivron vert

1 grosse carotte

1 tranche de jambon un peu épaisse

3 Pendant ce temps, coupez le poivron en deux, épépinez-le et ôtez-en les côtes intérieures. Avec un petit couteau pointu, formez les chiffres 3, 6, 9 et 12. Épluchez la carotte et coupez-la en longues tranches fines. Découpez-y les chiffres 1, 2, 4, 5, 7, 8, 10 et 11. Disposez les chiffres sur la pizza de façon à dessiner une horloge.

4 Découpez un rond de carotte, et deux lanières d'environ 7 cm (3 po) de long dans le jambon. Disposez-les sur la pizza pour faire les aiguilles.

5 Posez la pizza sur une assiette et laissez tiédir légèrement avant de découper en parts et de servir.

1 Préchauffez le four à 220 °C (425°F). Étalez la pâte à pizza au rouleau à pâtisserie jusqu'à ce qu'elle fasse à peu près 20 cm (8 po). Posez la pizza sur la plaque du four, et tartinez-la de sauce tomate. Mettez dessus les tomates grossièrement hachées et parsemez de fromage râpé ou de mozzarelle et de romarin.

2 Mettez au four directement sur une grille et faites cuire environ 12 minutes, jusqu'à ce que le fromage grésille.

VARIANTE
Vous pouvez confectionner une plus petite horloge en utilisant la moitié d'un petit pain rond grillé. Disposez les aiguilles de jambon et de petits morceaux de carotte pour les chiffres 3, 6, 9, et 12.

Petites girafes

Pour 2 portions

1 œuf dur
2 cuillerées à soupe de mayonnaise
2 tranches de pain de mie
2 tranches de pain complet
brins de cresson ou de fines herbes
1/2 carotte
feuilles de laitue émincées

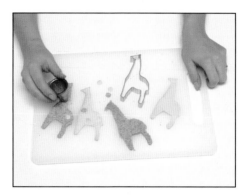

1 Écalez l'œuf dur et hachez-le finement. Mettez-le dans un bol et mélangez-le à la mayonnaise.

2 Découpez des formes de girafe (ou d'un autre animal) dans les tranches de pain.

3 Découpez de petits ronds dans chaque girafe et remplissez-les par des ronds de pain de couleur différente.

4 Étalez la préparation d'œuf dur sur la moitié des girafes et recouvrez de l'autre moitié. Disposez sur une assiette avec du cresson finement cisélé pour figurer l'herbe, et de tout petits bouts de carotte pour les fleurs.

Sandwichs escargots

Pour 2 portions

1 lamelle de poivron rouge
1 petit morceau de concombre
1 cuillerée à soupe de maïs en grains
60 g (2 oz) de gruyère râpé
1 cuillerée à soupe de mayonnaise
1 tranche de pain de mie
2 petites saucisses cuites

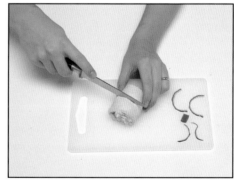

1 Épépinez le poivron et découpez-y quatre petits carrés pour les yeux des escargots. Prenez quatre fines lanières de concombre pour les antennes. Hachez finement le reste de poivron et de concombre, puis mélangez avec le maïs, le fromage et la mayonnaise. Versez dans un bol.

2 Ôtez la croûte du pain, coupez la tranche en deux et faites se chevaucher les deux bords étroits pour former un long ruban de pain. Aplatissez légèrement avec un rouleau à pâtisserie pour coller les bords.

3 Tartinez le pain de la préparation au fromage et roulez en serrant bien. Pressez, puis coupez le rouleau en deux.

4 Posez les tranches de rouleau sur deux assiettes. Disposez la saucisse pour constituer le corps de l'escargot, et servez-vous des lanières de concombre pour les antennes et des petits carrés de poivron rouge pour les yeux.

DES DESSERTS SIMPLES ET GOURMANDS

Les desserts destinés aux jeunes enfants doivent être légers et savoureux, tout en répondant à leurs besoins nutritionnels. Il faut aussi qu'ils soient rapides à préparer ! Et veillez à ne pas y ajouter trop de sucre.

Fondue aux fruits

Pour 2 portions

150 g (5 oz) de crème anglaise maison ou prête à l'emploi
30 g (1 oz) de chocolat au lait
1 pomme
1 banane
1 clémentine
fraises ou raisins épépinés

1 Versez la crème dans une casserole, ajoutez le chocolat et faites chauffer en remuant sans cesse, jusqu'à ce que le chocolat ait fondu. Laissez légèrement tiédir.

2 Coupez la pomme en quartiers, ôtez-en le trognon et coupez-la en petits morceaux. Coupez la banane en rondelles. Épluchez la clémentine et divisez-la en quartiers. Lavez et équeutez les fraises ou lavez les grains de raisins.

3 Disposez les fruits sur deux petites assiettes et versez la crème dans deux petits ramequins que vous posez sur les assiettes. L'enfant peut tremper les fruits dans la crème avec une fourchette ou avec les doigts.

ASTUCE
Ajoutez le chocolat à la crème et passez au four à micro-ondes à puissance maximale pendant 1 minute 1/2 ou jusqu'à ce que le chocolat ait fondu. Mélangez bien et versez dans les ramequins.

Glace à la fraise

Pour 90 cl (3 tasses)

30 cl (1 tasse) de crème fraîche épaisse

450 g (15 oz) de crème anglaise
maison ou prête à l'emploi

500 g (1 lb) de fraises

petits biscuits en forme d'animaux
et fraises pour décorer

1 Montez la crème fraîche en chantilly, puis incorporez-y la crème anglaise.

2 Équeutez les fraises, lavez-les et séchez-les. Passez-les au mixer. Incorporez le coulis à la crème au travers d'une passoire.

3 Versez dans un récipient plastique et mettez au congélateur de 6 à 7 heures.

4 Sortez du congélateur, battez avec une fourchette ou au mixer jusqu'à ce que la crème devienne parfaitement onctueuse, et remettez-la au congélateur. Laissez-la jusqu'à congélation totale.

5 Sortez la glace du congélateur 10 minutes avant de la servir, afin qu'elle ne soit pas trop dure. Servez en boules dans de petits bols et décorez avec des biscuits en forme d'animaux et quelques fraises fraîches.

VARIANTE

Glace marbrée à la fraise

Réduisez 270 g (9 oz) de fraises supplémentaires en coulis et passez-le à travers une passoire fine. Ajoutez 2 cuillerées à soupe de sucre glace. Incorporez ce coulis à la crème à moitié glacée, à l'étape n° 4. Puis laissez congeler.

Glace à l'abricot et aux pépites de chocolat

Montez 30 cl (1 tasse) de crème fraîche en chantilly et incorporez à 450 g (15 oz) de crème anglaise. Égouttez et réduisez en purée le contenu d'une boîte d'oreillons d'abricots au sirop. Incorporez à la crème avec le zeste finement râpé d'une orange. Versez dans un récipient en plastique, congelez à moitié, puis sortez du congélateur et battez bien. Incorporez 100 g (3 1/2 oz) de pépites de chocolat et remettez au congélateur jusqu'à ce que la crème ait pris. Servez en boules dans des bols et décorez avec des segments d'orange et des gaufrettes.

Sorbets à la framboise

Pour 90 cl (3 tasses)

60 cl (2 1/2 tasses) d'eau

300 g (10 oz) de sucre semoule

675 g (1 1/2 lb) de framboises

zeste râpé et jus de 1/2 citron
   non traité

1 Dans une casserole, mélangez l'eau et le sucre, et faites chauffer en remuant de temps en temps jusqu'à ce que le sucre soit complètement dissous.

2 Portez à ébullition et laissez bouillir 3 minutes. Retirez du feu et laissez refroidir.

3 Réduisez les framboises en coulis, puis incorporez-le au sirop à travers une passoire fine. Ajoutez petit à petit le zeste et le jus de citron.

4 Versez dans un récipient en plastique et faites congeler de 6 à 7 heures.

5 Sortez du congélateur et battez bien jusqu'à obtention d'une crème bien lisse. Remettez au congélateur et laissez jusqu'à congélation totale.

6 Sortez le sorbet 10 minutes avant de servir, afin qu'il ne soit pas trop dur. Servez-le en boules dans de petits bols.

VARIANTE

Sorbets aux fruits d'été

Suivez la recette jusqu'à l'étape n° 2. Versez 500 g (1 1/4 lb) de fruits d'été surgelés ou frais dans une deuxième casserole. Ajoutez 4 cuillerées à soupe d'eau, couvrez et laissez cuire 5 minutes, ou jusqu'à ce que les fruits soient bien tendres. Réduisez en coulis, passez à la passoire fine, incorporez au sirop et continuez comme ci-dessus.

Esquimaux au yaourt

Pour 6 esquimaux

150 g (5 oz) de yaourt à la fraise
15 cl (2/3 tasse) de lait
2 cuillerées à café de sirop de fraise (pour le lait)

1 Mélangez le yaourt, le lait et le sirop de fraise.

2 Versez dans six petits moules à esquimaux. Posez les bâtons et faites congeler 24 heures.

ASTUCE

Vous pouvez conserver les bâtonnets au congélateur pendant une semaine.

3 Trempez les moules dans de l'eau chaude, comptez jusqu'à 15, puis appuyez sur les tiges et démoulez. Servez aussitôt.

Petites crèmes à la fraise

Pour 4 portions

1/2 l (4 tasses) de lait
4 cuillerées à café de Maïzéna
100 g (4 oz) de fraises
100 g (4 oz) de sucre en poudre
1 brugnon
2 bonbons
vermicelle en chocolat multicolore

1 Dans une casserole, faites bouillir les 2/3 du lait avec le sucre. Dans un bol, délayez-la Maïzéna avec le reste du lait froid. Versez dans le lait bouillant.

2 Passez les fraises au mixer jusqu'à obtention d'un coulis et versez-le dans la casserole. Laissez cuire 8 minutes environ en remuant.

VARIANTE

Vous pouvez remplacer les fraises par un autre fruit de saison.

3 Versez dans des ramequins individuels, laissez refroidir puis faites prendre au réfrigérateur.

4 Coupez quelques lamelles de brugnon pour faire les bouches, puis décorez avec des cheveux en vermicelle et deux bonbons pour les yeux.

Crêpes fourrées

Pour 2 à 3 portions

Pour la pâte à crêpes
50 g (2 oz) de farine
1 œuf
15 cl (2/3 tasse) de lait
1 cuillerée à soupe d'huile végétale
Pour la garniture
1 banane
1 orange
2 à 3 boules de glace à la vanille
sirop d'érable

1 Versez la farine dans une terrine, ajoutez l'œuf et incorporez lentement le lait au fouet pour préparer une pâte à crêpes bien lisse. Ajoutez une cuillerée à café d'huile.

2 Pour la garniture, coupez la banane en fines rondelles. Pelez l'orange et divisez-la en quartiers.

3 Faites chauffer un peu d'huile dans une poêle antiadhésive de taille moyenne, puis versez-y une cuillerée à soupe de pâte à crêpes. Secouez bien la poêle afin que la pâte en recouvre le fond et laissez cuire une ou deux minutes jusqu'à ce que la crêpe soit bien dorée.

4 Retournez la crêpe, laissez-la cuire encore un peu, et faites-la glisser sur une assiette. Pliez-la en quatre et réservez-la au chaud.

5 Faites de même avec le reste de la pâte pour confectionner 6 crêpes. Posez-en deux sur chaque assiette.

6 Fourrez chaque crêpe d'un peu de fruits et garnissez avec le reste de fruits et une boule de glace. Arrosez d'un peu de sirop d'érable. Servez aussitôt.

Salade de fruits en gelée

Pour 6 portions

6 feuilles de gélatine
3 cuillerées à soupe de coulis d'abricots
3 cuillerées à soupe de coulis de fraises
3 cuillerées à soupe de citronnade
150 g (5 oz) de fraises
2 kiwis
3 mandarines
6 boules de glace à la vanille
12 fraises pour décorer

4 Laissez prendre au réfrigérateur pendant au moins 8 heures.

5 Ajoutez quelques fraises pour décorer, surmontez d'une boule de glace et servez aussitôt.

1 Mettez la gélatine dans un bol d'eau froide, puis égouttez-la avec les doigts et répartissez-la dans les deux coulis et la citronnade.

2 Pelez les kiwis et coupez-les en fines rondelles. Équeutez les fraises, lavez-les et coupez-les en deux. Pelez les mandarines et divisez-les en quartiers.

3 Répartissez les fruits et les coulis à la gélatine par couches de couleurs successives dans les verres et faites-les prendre à chaque fois quelques minutes au congélateur.

ASTUCE
Cette recette est idéale pour les goûters de fête des petits. Si les enfants ne sont pas très nombreux, réduisez les ingrédients de moitié. Pour les tout-petits, préparez des verres plus petits.

Diplomate aux fruits

Pour 2 portions

2 tranches de biscuit roulé maison ou tout prêt
4 cuillerées à café de jus d'orange
1 petite orange
60 g (2 oz) de fraises
150 g (5 oz) de crème pâtissière maison ou prête à l'emploi
2 cuillerées à café de yaourt nature
2 fleurs en sucre pour décorer

VARIANTE

Vous pouvez remplacer la crème pâtissière par 15 cl (2/3 tasse) de crème anglaise.

1 Posez une tranche de biscuit roulé dans chaque ramequin. Imbibez-les de jus d'orange. Pelez l'orange et répartissez-en les quartiers dans les deux ramequins.

2 Équeutez, lavez et coupez les fraises en morceaux. Ajoutez-les dans les ramequins.

3 Nappez les fraises de crème pâtissière, surmontez de yaourt et décorez avec les fleurs en sucre.

Bananes au four

Pour 2 portions

2 bananes de taille moyenne
2 petites boules de glace à la vanille

1 Préchauffez le four à 180 °C (350°F). Séparez les bananes non pelées et posez-les sur une tôle. Faites-les cuire 10 minutes jusqu'à ce que la peau ait noirci et que la chair des bananes soit bien tendre.

2 Tenez la banane dans un torchon, coupez-la en deux dans le sens de la longueur et ôtez la peau. Pelez la deuxième banane.

3 Coupez-les en rondelles et disposez-les en cercle sur une assiette. Posez une boule de glace au milieu de l'assiette.

VARIANTE

Pour les adultes : coupez la banane dans le sens de la longueur sans la peler, arrosez-la d'une ou deux cuillerées à café de liqueur au café.

MINI-GÂTEAUX POUR PÂTISSIERS EN HERBE

Faire la cuisine est un plaisir auquel on peut s'adonner dès son plus jeune âge. S'il a contribué à la composition et à la confection du repas, l'enfant se sentira fier de son œuvre et plus disposé à en partager les joies avec le reste de la famille. En apprenant à doser les ingrédients, à mélanger, à étaler et à verser dans les assiettes, il développera sa coordination motrice et s'initiera aux plaisirs de la gastronomie.

Avant de commencer
- Trouvez-lui un grand tablier.
- Lavez-vous toujours les mains avec lui avant de cuisiner.
- Prenez une chaise robuste, sur laquelle l'enfant peut se tenir debout devant le plan de travail. Ou bien posez une toile cirée sur le sol, disposez les bols, les ingrédients, les ustensiles, etc. sur la table et travaillez assis.
- Avertissez l'enfant que seul un adulte est autorisé à ouvrir la porte du four ou à toucher les casseroles sur la cuisinière.
- Éloignez ciseaux et couteaux.
- Servez-vous le cas échéant de ciseaux à bouts ronds.

Petits rochers à l'orange et à la pomme

Pour 24 rochers

huile pour graisser la plaque
120 g (4 oz) de beurre
300 g (10 oz) de farine à levure incorporée
1 grosse pomme
60 g (2 oz) d'abricots secs
60 g (2 oz) de raisins de Corinthe
zeste râpé de 1 orange non traitée
80 g (3 oz) de sucre roux en poudre
1 œuf
1 cuillerée à soupe de lait
tranches de pomme

1 Préchauffez le four à 190 °C (375°F). Graissez deux plaques avec un peu d'huile. En frottant avec les doigts, incorporez le beurre à la farine jusqu'à ce que le mélange ressemble à de fines miettes de pain.

2 Épluchez la pomme et hachez-la finement. Coupez les abricots en tout petits morceaux, puis ajoutez les fruits à la préparation, avec les raisins secs et le zeste d'orange. Réservez 2 cuillerées à soupe de sucre, et incorporez le reste au mélange.

3 Battez l'œuf et le lait, incorporez-les à la préparation et travaillez jusqu'à ce que le mélange soit parfait.

4 Avec une cuillère, déposez la pâte en petits tas sur la plaque. Saupoudrez du sucre restant et faites cuire au four de 12 à 15 minutes. Posez les rochers sur un plat et servez tiède ou froid avec des tranches de pomme.

ASTUCE
Vous pouvez conserver ces rochers au congélateur pendant trois mois.

Gâteau croustillant aux dattes

Pour 24 parts

240 g (8 oz) de galettes	
90 g (3 oz) de dattes dénoyautées	
80 g (3 oz) de beurre	
2 cuillerées à soupe de sirop d'érable	
90 g (3 oz) de raisins de Corinthe	
150 g (5 oz) de chocolat noir ou au lait	

1 Mettez les galettes dans un sachet en plastique et broyez-les grossièrement avec un rouleau à pâtisserie. Hachez finement les dattes.

2 Dans une petite casserole, faites lentement chauffer le beurre et le sirop d'érable, jusqu'à ce que le beurre ait fondu.

Variante

Autre idée de glaçage : faites fondre 90 g (3 oz) de chocolat blanc et 90 g (3 oz) de chocolat noir. Versez en pluie sur le croustillant pour former des marbrures. Laissez prendre de même au réfrigérateur.

3 Posez une feuille d'aluminium sur un plat à four. Mélangez les galettes broyées, les dattes et les raisins secs. Étalez la préparation dans le plat, aplatissez-la avec le dos d'une cuillère et mettez au réfrigérateur pendant 1 heure.

4 Dans un bol, cassez le chocolat en morceaux. Faites-le fondre au bain-marie. Nappez-en le dessus du gâteau et lissez à la spatule. Laissez prendre au réfrigérateur.

5 Sortez le gâteau en soulevant la feuille d'aluminium, ôtez cette dernière et disposez sur un plat.

Dominos au chocolat

Pour 16 dominos

Pour la pâte

huile pour graisser la plaque

175 g (6 oz) de beurre

210 g (8 oz) de sucre semoule

100 g (4 oz) de farine
   à levure incorporée

30 g (1 oz) de cacao

3 œufs

Pour la crème au beurre

175 g (6 oz) de beurre mou

30 g (1 oz) de cacao

100 g de sucre glace

3 jaunes d'œufs (très frais)

lacets de réglisse et 120 g (4 oz)
   de Smarties

1 Préchauffez le four à 190 °C (375°F). Graissez légèrement un moule de 18 x 27 cm avec un peu d'huile et posez sur le fond une feuille de papier sulfurisé.

2 Dans une terrine, mélangez tous les ingrédients de la pâte et battez.

3 Étalez la préparation dans le moule en lissant avec une spatule.

4 Faites cuire au four 30 minutes environ, ou jusqu'à ce que le gâteau devienne souple au doigt.

5 Laissez tiédir 5 minutes, puis détachez les bords avec un couteau et transférez sur une grille. Ôtez le papier et laissez refroidir.

6 Posez le gâteau sur une planche à découper et divisez-le en 16 petits rectangles.

7 Pour confectionner la crème au beurre, mettez le beurre dans un bol, incorporez le cacao et le sucre au travers d'un tamis, puis battez jusqu'à obtention d'une crème lisse. Étalez soigneusement la crème sur les rectangles, en lissant avec une spatule.

8 Décorez chaque rectangle avec une lanière de réglisse et des Smarties pour les points de dominos. Disposez sur une assiette et servez.

VARIANTE

Pour la pâte : supprimez le cacao et ajoutez 3 cuillerées à soupe de farine.

Pour le glaçage : supprimez le cacao et ajoutez 3 cuillerées à soupe de sucre semoule. Aromatisez avec une demi-cuillerée d'extrait de vanille. Étalez sur les gâteaux et décorez avec huit moitiés de cerises confites rouges, vertes et jaunes pour simuler des feux tricolores. Disposez les gâteaux sur une assiette.

Petites bouchées aux Chamallows

Pour 45 petits gâteaux

huile pour graisser le moule
270 g (9 oz) de caramels mous
4 cuillerées à soupe de beurre
3 cuillerées à soupe de lait
120 g (4 oz) de Chamallows en cubes
180 g (6 oz) de céréales (de type Rice Krispies)

1 Graissez légèrement avec un peu d'huile un moule de 20 x 32 cm (8 x 13 po). Dans une petite casserole, mettez les caramels, le beurre et le lait, chauffez lentement, en remuant jusqu'à ce que les caramels et le beurre aient fondu.

2 Incorporez les céréales et les Chamallows en remuant bien jusqu'à ce que ces derniers aient fondu.

3 Étalez la préparation dans le moule, égalisez la surface et laissez prendre. Découpez en petits carrés et servez.

Petits cakes individuels

Pour 24 cakes

225 g (8 oz) de farine
2 cuillerées à café de levure de boulanger
60 g (2 oz) de sucre roux en poudre
15 cl (2/3 tasse) de lait
1 œuf battu
4 cuillerées à soupe de beurre fondu
60 g (2 oz) de cerises confites
60 g (2 oz) d'abricots secs
1/2 cuillerée à café d'extrait de vanille.

2 Dans une terrine, mélangez la farine, la levure et le sucre. Incorporez le lait, l'œuf et le beurre et battez bien jusqu'à ce que la pâte soit lisse et crémeuse.

1 Préchauffez le four à 220 °C (425°F). Posez 24 petits moules en papier plissé dans deux moules à tartelettes.

3 Hachez les cerises et les abricots, et incorporez-les à la pâte ainsi que l'extrait de vanille.

4 Remplissez aux trois quarts les moules en papier.

5 Laissez cuire de 10 à 12 minutes, ou jusqu'à ce que les cakes aient gonflé et soient bien dorés.

ASTUCES
Pour des enfants un peu plus grands, versez la préparation dans 12 moules en papier de taille moyenne. Les cakes sont délicieux sitôt sortis du four. Ils peuvent également être conservés au congélateur pendant trois mois.

VARIANTES
Cakes aux pépites de chocolat
Remplacez 2 cuillerées à soupe de farine par 30 g (1 oz) de cacao. Supprimez les cerises, les abricots et la vanille, et ajoutez 120 g (4 oz) de pépites de chocolat.

Cakes à l'orange et à la banane
Remplacez 6 cl (1/4 tasse) de lait par deux petites bananes écrasées. Supprimez les cerises, les abricots et la vanille, et ajoutez 1 cuillerée à soupe de zeste d'orange non traitée râpé.

Petits gâteaux de carnaval

Pour 12 gâteaux

Pour la pâte
150 g (6 oz) de beurre
150 g (6 oz) de sucre semoule
150 g (6 oz) de farine à levure incorporée
2 œufs
Pour le glaçage
60 g (2 oz) de beurre
230 g (8 oz) de sucre glace
colorant alimentaire rouge
120 g (4 oz) de Smarties
2 lacets de réglisse rouges
12 rondelles de pâte d'amande
90 g (3 oz) de chocolat

1 Préchauffez le four à 180 °C (350°F). Posez 12 petits moules en papier plissé dans les creux d'une plaque à tartelettes.

2 Dans une terrine, mélangez tous les ingrédients de la pâte et battez jusqu'à obtention d'une crème lisse.

3 Répartissez la pâte dans les moules en papier et faites cuire de 12 à 15 minutes. Laissez tiédir.

4 Pendant ce temps, confectionnez le glaçage. Dans un grand bol, battez le beurre, incorporez le sucre au travers d'un tamis, puis battez au fouet jusqu'à obtention d'une crème onctueuse. Ajoutez un peu de colorant rouge.

5 Étalez sur les gâteaux. Posez des Smarties pour les yeux, de petits morceaux de réglisse pour la bouche et un nez en rondelle de pâte d'amande.

6 Cassez le chocolat en morceaux et faites-le fondre lentement dans un bol au bain-marie. Mettez le chocolat fondu dans une poche à douille ou un cornet en papier paraffiné dont vous coupez l'extrémité. Dessinez les cheveux, les lunettes, les pupilles et les moustaches avec le chocolat.

7 Disposez soigneusement en une seule couche sur un plat, et laissez le glaçage sécher avant de servir.

VARIANTE
Petits gâteaux alphabet
Confectionnez la moitié de la pâte ci-dessus, et répartissez-la dans 24 mini-moules en papier plissé. Posez dans une plaque à tartelettes ou côte à côte sur une tôle, et faites cuire au four de 8 à 10 minutes. Laissez tiédir. Dans une petite casserole, mélangez 450 g (2 tasses) de sucre glace à 2 cuillerées à soupe d'eau et remuez jusqu'à ce que le sucre ait bien fondu. Ajoutez un peu d'eau s'il le faut pour épaissir le glaçage. Mettez-en 2 cuillerées à soupe dans une poche à douille très fine. Mettez la moitié du glaçage restant dans un bol et colorez-le en rouge. Colorez en vert le reste de glaçage. Glacez les gâteaux en lissant bien, puis écrivez dessus les lettres de l'alphabet avec la poche à douille. Laissez durcir.

Petits bonshommes à la cannelle

Pour 24 biscuits

huile pour graisser la plaque
300 g (10 oz) de farine
1/2 cuillerée à café de cannelle en poudre
1 1/2 cuillerée à café de bicarbonate de soude
4 cuillerées à soupe de beurre
160 g (5 oz) de sucre roux en poudre
3 cuillerées à soupe de sirop d'érable
2 cuillerées à soupe de lait
90 g (3 oz) de chocolat noir
2 paquets de Smarties (facultatif)

1 Graissez deux plaques à four avec un peu d'huile. Tamisez la farine, la cannelle et le bicarbonate dans une terrine.

2 Mettez le beurre, le sucre et le sirop d'érable dans une casserole, et chauffez jusqu'à ce que le beurre ait fondu.

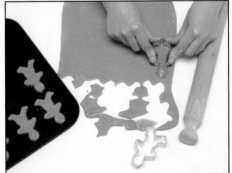

3 Retirez du feu et incorporez la préparation et le lait. Travaillez jusqu'à obtention d'une pâte ferme et réfrigérez pendant 30 minutes.

ASTUCE
Les décorations au chocolat ont tendance à ramollir les biscuits. Il faut donc tout consommer le jour même, ou bien ne décorer que les biscuits qui seront mangés. Vous pouvez conservez le reste dans un bocal hermétique pendant 4 jours.

4 Préchauffez le four à 160 °C (325°F). Pétrissez légèrement la pâte et abaissez-la sur un plan fariné. Découpez-y des petits bonshommes à l'aide d'un emporte-pièce. Posez-les sur les plaques graissées.

5 Faites cuire au four 10 minutes, ou jusqu'à ce que les biscuits soient bien dorés. Laissez-les refroidir, puis détachez-les avant qu'ils ne refroidissent complètement.

6 Cassez le chocolat dans un bol et faites-le fondre au bain-marie. Étalez un peu de chocolat fondu sur les garçons pour dessiner les pantalons. Laissez sécher.

7 Versez le reste de chocolat dans une poche à douille très fine et dessinez les visages des personnages, ainsi que des volants de jupons pour les filles. Posez deux toutes petites noisettes de chocolat pour les boutons, et recouvrez éventuellement de Smarties. Laissez sécher avant de servir.

Petits pains « animaux »

Pour 15 petits pains

huile pour graisser la plaque
600 g (20 oz) de préparation pour pâte à pain
raisins secs
1/2 poivron rouge
1 petite carotte
1 œuf

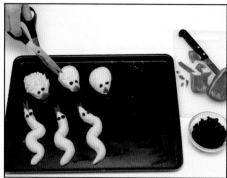

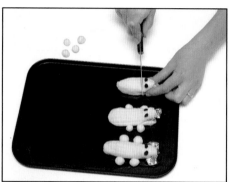

1 Graissez deux grandes plaques à four avec un peu d'huile. Versez la préparation pour pâte à pain dans une terrine et confectionnez la pâte avec de l'eau chaude en suivant les instructions sur le paquet.

2 Pétrissez pendant 5 minutes sur un plan fariné, jusqu'à ce que la pâte soit bien lisse et élastique. Remettez-la dans la terrine, couvrez d'un papier sulfurisé et laissez reposer 45 minutes à 1 heure, jusqu'à doublement du volume.

3 Préchauffez le four à 220 °C (425°F). Pétrissez à nouveau pendant environ 5 minutes, puis divisez en cinq parts égales.

5 Pour les hérissons : divisez une autre part de pâte en trois morceaux. Formez des ovales. Posez-les sur la tôle et ajoutez des raisins secs pour les yeux et un bout de poivron pour le nez. Pincez la pâte pour former les piquants.

6 Pour les souris : divisez une part de pâte en quatre morceaux. Formez des ovales et posez-les sur la tôle. Prenez une autre part de pâte et roulez-en de minuscules bouts pour former les oreilles et la queue, que vous presserez sur les corps. Posez des raisins secs pour les yeux.

8 Pour les crocodiles : divisez en trois une part de pâte. Réservez un peu de chaque morceau. Roulez les grands morceaux en boudins. Entaillez une extrémité pour la gueule, que vous maintiendrez ouverte avec une boule de papier d'aluminium. Ajoutez des raisins secs pour les yeux. Avec le reste de pâte, formez des pieds que vous presserez contre les corps. Dessinez des lignes entrecroisées sur les dos.

9 Pour les lapins : divisez la dernière part de pâte en trois. Réservez de petits morceaux pour les queues. Roulez les trois morceaux en gros boudins. Tressez-les pour former le corps et la tête. Utilisez le reste pour la queue.

4 Pour les serpents : prenez un morceau de pâte, coupez-le en trois et, en le roulant à la main, formez trois serpents de 15 cm (6 po) environ. Entaillez l'une des extrémités pour la gueule. Tordez les serpents sur la tôle. Posez deux raisins secs pour les yeux. Prenez une très fine lanière de poivron rouge et coupez-y un triangle pour figurer la langue fourchue.

7 Découpez de très fines lanières de carotte et faites-en les moustaches.

VARIANTE
Vous pouvez couper les petits pains en deux et les fourrer de jambon ou de fromage. Vous pouvez aussi donner un morceau de pâte à votre enfant, avec quelques fruits secs hachés et le laisser créer ses propres petits animaux.

10 Recouvrez les animaux d'un papier sulfurisé beurré et laissez reposer de 10 à 15 minutes dans un endroit chaud. Badigeonnez de jaune d'œuf battu et faites cuire de 10 à 12 minutes.

11 Servez chaud ou froid.

Petits gâteaux au fromage

Pour 15 gâteaux

huile pour graisser la plaque
450 g (20 oz) de farine à levure incorporée
1 pincée de sel
120 g (4 oz) de beurre
120 g (4 oz) de gruyère
2 œufs battus
4 cuillerées à soupe de lait
2 cuillerées à café de graines de sésame
2 cuillerées à café de graines de pavot ou de cumin

1 Préchauffez le four à 220 °C (425°F).

2 Dans une terrine, mettez la farine et le sel, puis ajoutez le beurre en mélangeant avec les doigts ou au mixer jusqu'à ce que la préparation ressemble à de fines miettes de pain.

3 Râpez le fromage, réservez-en 2 cuillerées à soupe et mélangez le reste à la farine. Ajoutez les trois quarts des œufs battus et du lait, et mélangez bien pour obtenir une pâte lisse.

4 Pétrissez légèrement et étalez la pâte au rouleau sur un plan fariné, jusqu'à obtention d'une épaisseur d'environ un doigt.

5 Découpez des chiffres avec des emporte-pièce ou un couteau pointu et disposez-les, suffisamment espacés, sur deux plaques.

6 Badigeonnez les chiffres de jaune d'œuf. Parsemez-en cinq de graines de sésame, cinq autres de graines de pavot ou de cumin et le reste du fromage râpé.

7 Faites cuire de 12 à 15 minutes, ou jusqu'à ce que les gâteaux aient gonflé et soient dorés. Laissez refroidir un peu, disposez sur une assiette et servez.

Biscuits roulés au fromage

Pour 16 parts

huile pour graisser la plaque
270 g (9 oz) de pâte feuilletée
farine
1/2 cuillerée à café de crème d'anchois
1 œuf battu
60 g (2 oz) de gruyère râpé
petits bâtons de carotte et de concombre

1 Préchauffez le four à 220 °C (425°F). Graissez une grande plaque à four avec un peu d'huile.

2 Étalez la pâte au rouleau sur un plan fariné pour obtenir un grand rectangle de 35 x 25 cm (14 x 10 po) environ.

3 Tartinez la pâte de crème d'anchois en laissant un bord de 1 cm (1/2 po). Badigeonnez les bords de pâte avec l'œuf battu et recouvrez-le de fromage râpé.

VARIANTE
Si vous craignez que votre enfant n'aime pas le parfum de la crème d'anchois, vous pouvez la remplacer par de la moutarde douce ou par du jambon de Paris émincé.

4 Roulez la pâte sur elle-même en serrant bien, comme pour un biscuit roulé sucré, en commençant par l'un des bords longs. Badigeonnez d'œuf battu la surface extérieure du rouleau.

5 Coupez le rouleau en tranches, et posez-les sur la plaque du four.

6 Faites cuire de 12 à 15 minutes, ou jusqu'à ce que les tranches aient bien gonflé et soient dorées. Disposez-les sur une assiette et servez chaud ou froid avec des bâtons de carotte et de concombre.

LES REPAS EN FAMILLE

Les repas familiaux prennent une dimension nouvelle lorsque la famille s'agrandit et qu'il faut satisfaire les besoins et les envies de tous ses membres : bébé, jeune enfant capricieux, parents... Plutôt que de composer trois menus différents ou de se borner aux repas très simples que vous savez plaire aux enfants, choisissez de préparer trois repas à partir d'un même ensemble

d'aliments : un plat simple adapté au goût de bébé, quelque chose d'appétissant pour l'enfant plus âgé et un menu raffiné pour les adultes.

Les recettes qui suivent sont destinées aux repas d'une famille composée d'un bébé âgé de neuf mois ou plus, d'un petit enfant de 18 mois à quatre ans et de deux adultes.

Manger ensemble

Les repas familiaux doivent être des moments joyeux et conviviaux et non une épreuve. Quelles que soient les règles de conduite à table qui sont les vôtres, il est essentiel que toute la famille les connaisse et que vous restiez cohérente. Ce qui compte dans certaines familles peut n'avoir aucune importance pour vous. Si vous souhaitez que les enfants restent à table jusqu'à ce que tout le monde ait terminé son repas, veillez à ce que chacun le sache. Certains parents considèrent qu'il est plus reposant de laisser les enfants quitter la table dès qu'ils ont terminé, ce qui leur donne l'occasion de finir de manger dans une paix relative. Mais quoi que vous décidiez, n'en démordez pas ! Ne vous laissez pas influencer par les conseils bien intentionnés de grands-parents ou d'amis.

À gauche : *Contribuer à la préparation des plats fait partie du plaisir des repas. Les enfants adorent aider à la cuisine : ils sont fiers de participer.*

Ci-dessous : *Dans à une ambiance sereine et conviviale, le repas familial devient un moment privilégié, où l'enfant s'initie aux bonnes manières à table.*

juste sorti du four. De même, surveillez-le bien pour qu'il ne s'empare pas d'un liquide bouillant ou d'un couteau tranchant.

Composez des menus variés, avec certains des aliments préférés de vos enfants, mais aussi des plats que vous aimez : tout le monde sera content. Proposez en très petites quantités les aliments nouveaux pour votre enfant ou ceux qu'il n'aime pas beaucoup, et incitez-le à en avaler au moins une bouchée.

Encouragez bébé à manger tout seul, avec des aliments faciles à prendre avec les doigts. Pendant ce temps, les parents ont le temps de savourer leur repas. Ne vous inquiétez pas des éclaboussures et autres salissures : vous nettoierez après le repas.

Pour bien protéger le petit enfant assis à table, posez son assiette sur un set facile à nettoyer et recouvrez le dossier de sa chaise d'un torchon ou d'une serviette. Meilleure idée encore : lui acheter un couvre-siège mince et capitonné, amovible et lavable à la machine.

Les enfants ne supportent pas les aliments trop chauds, non seulement parce qu'ils se brûlent la langue, mais aussi parce qu'ils s'énervent à attendre

Essayez de partager au moins un repas par jour, même si les menus sont différents : l'enfant apprendra à bien se conduire en observant le reste de la famille. Expliquez aux autres membres de la famille qu'ils sont là pour donner l'exemple au tout-petit (c'est le meilleur moyen d'inciter aux bonnes manières !).

Il n'est jamais trop tôt pour encourager l'enfant à participer au travail. Mettre la table peut devenir un jeu, surtout si l'on garde une place pour la poupée ou l'ours en peluche. Passer les assiettes, le pain, le sel et le poivre est un exercice auquel l'enfant s'habitue rapidement. Transformez un lundi soir morose et pluvieux en un repas de fête avec quelques fleurs, des bougies (tenues, bien sûr, hors de portée des tout-petits), des sets de table amusants et des petites serviettes en papier.

Essayez d'éviter de mettre une nappe quand il y a un tout-petit : il risque de la tirer et de tout renverser par terre ou de se brûler avec un plat

Ci-dessus : Les enfants adorent aussi mettre la table ; c'est une bonne façon de les faire participer.

Ci-dessous : Même si l'enfant est encore trop jeune pour manger comme les autres, il est important qu'il partage le repas familial.

de pouvoir manger, alors qu'ils ont très faim. Un grand nombre d'enfants préfèrent manger tiède. Servez sur un grand plat les sautés de viande et les plats braisés très chauds, afin qu'ils refroidissent rapidement. De toutes façons, vérifiez toujours la température des aliments avant de les proposer à un enfant.

LES BONNES MANIÈRES À TABLE

Les petits enfants font souvent bien des dégâts lorsqu'ils mangent, mais évitez de le prendre à cœur : contentez-vous de leur essuyer le visage et les mains à la fin du repas. Leur plaisir passe avant tout ; les bonnes manières viendront plus tard, lorsqu'il aura appris à mieux se servir du couteau et de la fourchette.

Restez compréhensive et souple, les petits enfants ont beaucoup à apprendre lorsqu'ils commencent à partager les repas familiaux. L'enfant très actif doit apprendre à rester tranquille, ce qui n'est pas facile ! Il doit aussi comprendre comment tenir les couverts et boire dans une tasse. Il regarde autour de lui pour s'initier à ce que font les autres.

Le tout-petit doit apprendre à rester installé dans sa chaise haute et à attendre qu'un adulte lui offre une cuillerée de

purée. Cela n'est pas facile non plus, les colères et les conflits sont inévitables, sans parler des taches et autres éclaboussures. Essayez de rester calme. Proposez-lui, après son bol de purée, des petites choses à manger avec les doigts : vous aurez ainsi suffisamment de temps pour terminer votre repas et nettoyer.

Bonnes manières et plaisir de partager : c'est ainsi que l'on jouit des plaisirs de la table.

À gauche : Un cadre inattendu, des plats inhabituels : l'enfant adore la nouveauté. Il s'initie ainsi à la variété de situations qu'il rencontrera plus tard.

ASTUCE

● Proposez des cubes de fromage à la fin du repas, afin de ne pas offrir trop d'aliments très sucrés.

● Essayez d'encourager les enfants à manger plus de fruits. Coupez-les en petits morceaux sur une assiette.

● Encouragez les enfants de tous âges à boire du lait (chaud, froid ou aromatisé) car c'est là une source précieuse de vitamines liposolubles A et D. Le lait contient également du calcium, constituant principal des os et des dents.

● Si vous réchauffez les aliments de bébé dans le four à micro-ondes, veillez à bien mélanger et laissez reposer quelques minutes, afin que la chaleur se répartisse. Vérifiez toujours la température avant de servir.

● Veillez à ce que bébé soit toujours bien attaché dans sa chaise haute. Ne le laissez jamais sans surveillance.

● Les enfants aiment la nouveauté, par exemple manger ailleurs que chez eux. Si le soleil brille, pourquoi ne pas organiser un pique-nique au jardin. Si vous mangez dehors, emballez séparément les aliments de l'enfant.

● Les petits en-cas et le goûter jouent un rôle essentiel dans le régime d'un jeune enfant : les repas, en effet, ne peuvent lui donner à eux seuls les calories et les protéines nécessaires à sa croissance.

● Veillez à varier les aliments offerts à l'enfant et à ne pas lui couper l'appétit avant son repas principal.

● Essayez d'éviter les sucreries, les gâteaux ou les frites.

● S'il a faim, proposez-lui des tranches de fruits frais, quelques raisins ou des abricots secs, des cubes de fromage, un yaourt aux fruits ou une boisson lactée.

● Faites du goûter une véritable fête : autorisez l'enfant à choisir l'endroit où le manger.

LES PLATS À BASE DE VIANDE

Servir des repas qui plaisent à toute la famille est une tâche ardue, surtout dans les limites d'un budget précis. Essayez ces plats savoureux et rapides à préparer à base de viande de bœuf hachée ou en morceaux, de côtes d'agneau ou de porc.

Côtes d'agneau à la grecque

3 belles côtelettes d'agneau dans le gigot
360 g (12 oz) de courgettes
1/2 poivron jaune
1/2 poivron rouge
3 tomates
1 gousse d'ail pilée
1 cuillerée à soupe de miel
brindilles de romarin frais
1 cuillerée à soupe d'huile d'olive
200 g (7 oz) de haricots blancs en conserve
coulis de tomate
sel, poivre

2 Assaisonnez les deux côtelettes destinées aux adultes avec l'ail, le miel et le romarin. Salez, poivrez. Aspergez les légumes de quelques gouttes d'huile.

3 Faites cuire sous le gril du four chaud de 12 à 14 minutes, en retournant une fois, jusqu'à ce que l'agneau et les légumes soient tendres et dorés.

5 Hachez finement ou mixez le reste d'agneau avec quatre rondelles de courgette, deux petits morceaux de poivron, deux quartiers de tomate pelée et 1 à 2 cuillerées de haricots. Ajoutez un peu d'eau ou de coulis de tomate si le mélange est trop sec. Versez dans un bol à l'intention de bébé. Vérifiez, avant de servir, la température des aliments destinés aux enfants.

6 Pour les assiettes des parents, versez sur les côtelettes leur jus de cuisson et décorez avec du romarin frais.

1 Ôtez le gras des côtelettes. Disposez la viande sur une grille. Ôtez la queue des courgettes et coupez-les en rondelles. Épépinez les poivrons, ôtez-en les côtes intérieures, passez-les sous l'eau et coupez-les en petits morceaux. Lavez les tomates, coupez-les en quartiers. Disposez les légumes autour de la viande sur la grille.

4 Dans une casserole, faites réchauffer les haricots avec le coulis de tomate. Égouttez. Ôtez l'os et le gras de la côtelette non assaisonnée. Pour l'aîné, coupez la moitié du morceau en fines tranches et servez avec un peu de légumes et 2 à 3 cuillerées de haricots blancs.

VARIANTE

Le prix de l'agneau fluctue considérablement selon la saison. Vous pouvez remplacer le gigot par des noisettes d'agneau ou des côtes premières. Prévoyez deux côtes par adulte et réduisez le temps de cuisson, car elles sont plus petites. Vous pouvez aussi préparer cette recette au barbecue.

Sauté de mouton à la lyonnaise

360 g (12 oz) d'épaule d'agneau
    désossée

1 oignon

1 carotte

180 g (6 oz) de céleri-rave

1 cuillerée à soupe d'huile

2 cuillerées à soupe de farine

45 cl (1 7/8 tasse) de bouillon de bœuf

1 cuillerée à soupe de sauge fraîche
    ou 1/2 de cuillerée à café
    de sauge séchée

60 g (2 oz) de chorizo (facultatif)

1/2 pomme

300 g (10 oz) de pommes de terre

1 cuillerée à soupe de beurre

240 g (8 oz) de choux de Bruxelles

sel, poivre

1 Préchauffez le four à 180 °C (350°F). Ôtez le gras de l'agneau et coupez-le en fines lamelles. Épluchez l'oignon, le céleri-rave et la carotte, coupez-les en fines rondelles.

2 Faites chauffer l'huile dans une grande sauteuse, et faites-y dorer la viande de tous côtés. Retirez l'agneau de la sauteuse, ainsi que l'excès d'huile. Transférez un tiers de la viande dans une petite cocotte pour les enfants. Versez le reste dans une grande cocotte pour les adultes.

3 Jetez les légumes dans la sauteuse et faites revenir 5 minutes, ou jusqu'à ce qu'ils soient dorés.

4 Incorporez la farine, puis le bouillon et la sauge. Portez à ébullition, en remuant sans cesse, puis répartissez entre les deux cocottes.

5 Enlevez la peau du chorizo et coupez-le en rondelles. Épluchez la pomme et coupez-la en morceaux. Ajoutez-les à la cocotte des adultes, salez et poivrez.

6 Émincez les pommes de terre en fines rondelles et rangez-les, en les faisant se chevaucher, sur la viande dans les deux cocottes. Posez une noisette de beurre. Salez et poivrez la grande cocotte.

7 Couvrez et faites cuire au four 1 heure 1/2. Pour que le dessus soit bien doré, retirez le couvercle et faites griller quelques minutes en fin de cuisson. Faites cuire les choux de Bruxelles de 8 à 10 minutes dans de l'eau bouillante, puis égouttez.

8 Pour bébé, hachez finement ou mixez la moitié du contenu de la petite cocotte, avec quelques choux de Bruxelles. Ajoutez un peu de jus de cuisson jusqu'à obtention de la consistance voulue. Versez dans un bol.

9 Pour l'aîné, transférez le reste du contenu de la petite cocotte sur une assiette, ajoutez quelques choux de Bruxelles et coupez la viande en petits morceaux. Vérifiez, avant de servir, la température des aliments destinés aux enfants.

10 Disposez sur des assiettes le sauté destiné aux adultes, et servez avec les choux de Bruxelles.

VARIANTE
On peut se servir également de hauts de côtelettes ou de collet pour ce type de plat. Mais ces morceaux, qui par ailleurs demandent une cuisson longue, sont souvent gras et comportent trop d'os : ils ne conviennent donc pas aux enfants. L'épaule désossée, maigre et consistante, les remplace avantageusement tant par son goût que sa valeur nutritive.

Sauté de bœuf épicé

360 g (12 oz) de steak haché maigre
1 cuillerée à café d'huile d'olive
1 oignon grossièrement émincé
1 carotte grossièrement émincée
1 gousse d'ail pilée
420 g (14 oz) de tomates pelées
1 pincée d'herbes de Provence séchées
30 g (1 oz) de petites pâtes
60 g (2 oz) de lait de coco
60 g (2 oz) de champignons de Paris
60 g (2 oz) de feuilles d'épinards
1 cuillerée à soupe de pâte
   de curry doux
sel, poivre
riz cuit nature et pita chaude
   (facultatif)

3 Faites cuire les pâtes 10 minutes à l'eau bouillante. Égouttez-les.

4 Pendant ce temps, mettez le lait de coco dans un petit bol, ajoutez 12 cl (1/2 tasse) d'eau bouillante et remuez. Essuyez les champignons, coupez-les en fines lamelles. Lavez et égouttez les épinards, ôtez-en les grosses tiges.

6 Pour bébé, réduisez en purée ou mixez un tiers des petites pâtes et de la préparation de viande mise de côté, jusqu'à obtention de la consistance voulue. Versez dans une petite assiette.

7 Mettez le reste des pâtes et de la viande dans une autre assiette à l'intention de l'aîné.

8 Incorporez les champignons et les épinards dans la viande épicée au curry et faites cuire de 3 à 4 minutes jusqu'à ce que les épinards aient légèrement ramolli. Servez aux adultes sur des assiettes chaudes, avec du riz et du pain pita réchauffé. Vérifiez, avant de servir, la température des aliments destinés aux enfants.

1 Faites dorer la viande et l'oignon dans une petite casserole avec l'huile d'olive.

2 Ajoutez la carotte, l'ail, les tomates et les herbes. Portez à ébullition, puis couvrez et laissez mijoter environ 30 minutes, en remuant de temps en temps.

5 Mettez un tiers de la préparation de viande dans une autre casserole. Incorporez au reste de la viande le mélange de noix de coco et la pâte de curry. Salez, poivrez et faites cuire environ 5 minutes, en remuant.

ASTUCES

Pesez les épinards après qu'ils aient été épluchés et équeutés ; ou bien utilisez des épinards surgelés.
Le pain pita est un pain libanais. Vous en trouverez dans les rayons de produits exotiques des grandes surfaces.

Bœuf haché au curry

3 belles pommes de terre Bintje

1 oignon haché

360 g (12 oz) de steak haché maigre

1 gousse d'ail pilée

2 cuillerées à café de pâte
de curry doux

2 cuillerées à café de vinaigre de vin

6 cuillerées à soupe de chapelure

1 cuillerée à soupe de concentré
de tomate

30 g (1 oz) de raisins secs

1 cuillerée à soupe de chutney
à la mangue

1 banane moyenne coupée en rondelles

2 œufs

4 cuillerées à café de curcuma

12 cl (1/2 tasse) de lait écrémé

4 feuilles de laurier

240 g (8 oz) de brocolis, coupés
en petites fleurettes

2 cuillerées à soupe de crème fraîche
ou de yaourt nature

240 g (8 oz) de haricots blancs
(en conserve)

coulis de tomates

sel, poivre

1 Préchauffez le four à 180 °C
(350°F). Brossez les pommes de
terre sous l'eau, puis séchez-les, enfilez
chacune d'elles sur une brochette et
faites cuire au four pendant 1 h 30,
jusqu'à ce qu'elles soient bien tendres.

2 Dans une casserole, faites revenir
l'oignon haché et 240 g (8 oz) de
viande hachée. Remuez souvent.

3 Ajoutez l'ail et la pâte de curry,
remuez bien et laissez cuire
1 minute. Retirez du feu, et incorporez
le vinaigre, 4 cuillerées à soupe de
chapelure, le concentré de tomate et
les raisins secs. Salez, poivrez.

ASTUCE
Les restes du plat destiné aux
adultes peuvent être servis froids.

4 Hachez menu les gros morceaux de
chutney et incorporez à la viande,
avec les rondelles de banane. Étalez la
viande dans une tourtière, en lissant
bien avec une spatule.

5 Recouvrez la tourtière d'une
feuille d'aluminium et faites-la
cuire au four 20 minutes.

6 Pendant ce temps, mélangez le reste
de viande au reste de chapelure.
Battez les œufs et ajoutez à la viande
1 cuillerée à soupe d'œuf battu. Pour
bébé, formez huit petites boulettes de
la taille d'un gros grain de raisin. Avec
le reste de bœuf, formez une galette de
7 cm (3 po) de diamètre à l'aide d'un
emporte-pièce.

7 Mélangez le curcuma et le lait au
reste d'œuf battu. Salez et poivrez
légèrement. Retirez la feuille
d'aluminium de la tourtière et posez
les feuilles de laurier sur la viande.

8 Nappez du mélange d'œuf battu.
Remettez au four 30 minutes,
jusqu'à ce que l'œuf ait gonflé.

9 Une fois prêt le plat destiné aux
adultes, faites chauffer le gril du
four et faites cuire la galette et les
boulettes, des deux côtés, pendant 5 à
10 minutes.

10 Faites cuire les brocolis à l'eau
bouillante, puis égouttez-les.

11 Découpez en plusieurs parts le
plat destiné aux parents, et
servez avec les pommes de terre
garnies de crème fraîche ou de yaourt,
et des fleurettes de brocolis.

12 Servez à l'aîné des enfants la
galette avec une moitié de
pomme de terre, des haricots en sauce
tomate réchauffés et quelques fleurettes
de brocolis. Pour bébé, mettez sur une
assiette les boulettes avec des morceaux
de pomme de terre sans leur peau et
des brocolis. Ajoutez des haricots au
coulis de tomates et servez.

Moussaka

1 oignon haché
360 g (12 oz) de viande d'agneau hachée
420 g (14 oz) de tomates pelées
1 feuille de laurier
1 aubergine moyenne, coupée en rondelles
2 pommes de terre moyennes
1 courgette moyenne, coupée en rondelles
2 cuillerées à soupe d'huile d'olive
1/2 cuillerée à café de noix de muscade râpée
1/2 cuillerée à café de cannelle en poudre
2 gousses d'ail pilées
sel, poivre
Pour la sauce
2 cuillerées à soupe de beurre
2 cuillerées à soupe de farine
25 cl (1 tasse) de lait
1 pincée de noix de muscade râpée
1 cuillerée à soupe de parmesan fraîchement râpé
4 cuillerées à café de chapelure

1 Faites revenir l'oignon et l'agneau haché dans une casserole en remuant de temps en temps. Ajoutez les tomates et la feuille de laurier, portez à ébullition en mélangeant, puis couvrez et laissez mijoter 30 minutes.

2 Disposez les rondelles d'aubergine en une seule couche sur une plaque. Salez légèrement et mettez-les de côté pour les faire dégorger pendant 20 minutes. Préchauffez le four à 200 °C (400°F).

3 Coupez les pommes de terre en rondelles fines et faites-les cuire 3 minutes à l'eau bouillante. Ajoutez les courgettes et laissez cuire 2 minutes.

4 Retirez la plupart des rondelles et mettez-les dans une passoire, en laissant dans la casserole des légumes pour bébé. Faites cuire ces légumes 2 à 3 minutes de plus, puis égouttez-les. Rincez-les à l'eau froide et égouttez-les à nouveau.

5 Essuyez les rondelles d'aubergine. Dans une poêle, faites chauffer l'huile et faites dorer les rondelles de chaque côté. Posez sur du papier absorbant.

6 Mettez 3 cuillerées à soupe de viande dans un bol, mélangez-la aux légumes de bébé et réduisez en purée.

7 Pour le petit enfant, mettez 4 cuillerées à soupe de viande dans un petit plat. Rajoutez quatre rondelles de pomme de terre, une rondelle d'aubergine et trois rondelles de courgette.

8 Incorporez la noix de muscade, la cannelle et l'ail au reste de la préparation de viande. Salez, poivrez. Faites cuire 1 minute, puis versez dans un plat.

9 Disposez sur l'agneau le reste des rondelles de pomme de terre, puis les rondelles d'aubergine. Insérez les rondelles de courgette çà et là entre les rondelles d'aubergine.

10 Pour la sauce, faites fondre le beurre dans une petite casserole, ajoutez la farine, puis graduellement le lait. Portez à ébullition, en remuant constamment pour obtenir un mélange crémeux et lisse. Ajoutez une pincée de noix de muscade, salez et poivrez.

11 Versez un peu de sauce sur le plat destiné au petit enfant, et le reste sur le plat des adultes. Parsemez-les de parmesan râpé et de chapelure.

12 Faites cuire les moussakas au four. Le plat des adultes demandera environ 45 minutes de cuisson, celui du petit enfant environ 25 minutes. Réchauffez la purée destinée à bébé. Vérifiez, avant de servir, la température des aliments destinés aux enfants.

Chili con carne

3 belles pommes de terre Bintje

1 oignon grossièrement émincé

500 g (1 lb) de steak haché

1 carotte, taillée en petits dés

1/2 poivron rouge, épépiné, et taillé en petits dés

420 g (14 oz) de tomates pelées

2 cuillerées à café de concentré de tomates

15 cl (2/3 tasse) de bouillon de bœuf

3 feuilles de laurier

2 cuillerées à café d'huile d'olive

120 g (4 oz) de champignons de Paris, coupés en fines lamelles

2 gousses d'ail pilées

2 cuillerées à café de piment doux en poudre

1/2 cuillerée à café de cumin en poudre

1 cuillerée à café de coriandre en poudre

1 grosse boîte de haricots rouges égouttés

45 g (2 oz) de jardinière de légumes fraîche ou surgelée

1 cuillerée à soupe de lait

1 noisette de beurre

4 cuillerées à soupe de crème fraîche ou de yaourt nature

1 cuillerée à soupe de coriandre fraîche ciselée

sel, poivre

salade verte, pour garnir

1 Préchauffez le four à 180 °C (350°F). Brossez les pommes de terre sous l'eau, piquez-les avec une fourchette et faites-les cuire au four 1 h 30. Dans une casserole, faites revenir l'oignon et le bœuf haché, en remuant bien. Ajoutez la carotte et le poivron rouge, et laissez cuire 2 minutes.

2 Ajoutez les tomates, le concentré de tomates et le bouillon, puis portez à ébullition. Versez un quart du mélange de viande dans une petite cocotte, ajoutez une feuille de laurier et couvrez. Versez le reste de viande dans une grande cocotte.

3 Dans la même casserole, faites chauffer 1 cuillerée à soupe d'huile, et faites sauter les champignons et l'ail pendant 3 minutes.

4 Ajoutez les épices, salez et poivrez. Laissez cuire encore 1 minute, puis ajoutez les haricots rouges égouttés et le reste des feuilles de laurier. Incorporez le tout à la viande dans les deux cocottes. Couvrez et faites cuire 1 heure au four.

5 Lorsque les pommes de terre sont cuites, partagez-les en deux ou en quatre et évidez-les en partie.

6 Badigeonnez les pommes de terre avec le reste de l'huile et passez-les au gril 10 minutes pour les rendre dorées et croustillantes.

7 Faites cuire la jardinière de légumes 5 minutes à l'eau bouillante. Écrasez la pulpe de pomme de terre avec du lait et une noisette de beurre.

8 Versez la préparation de viande de la petite cocotte dans un ramequin pour l'enfant, et dans un bol pour le bébé. Recouvrez le contenu du ramequin et du bol d'une couche de purée de pommes de terre.

9 Égouttez les légumes, et décorez le ramequin avec deux petits pois pour les yeux et un peu de jardinière de légumes pour les cheveux.

10 Versez le reste des légumes dans le bol de bébé et hachez ou mixez. Vérifiez, avant de servir, la température des aliments.

11 Dressez deux assiettes de chili con carne pour les adultes. Garnissez-les de pommes de terre et déposez dessus une noix de crème fraîche ou de yaourt nature. Parsemez de coriandre. Servez avec une salade.

Bœuf bourguignon à la purée

500 g (1 lb) de bœuf pour « bourguignon » (tranche, gîte)
1 cuillerée à soupe d'huile
1 oignon grossièrement émincé
2 cuillerées à soupe de farine
30 cl (1 1/4 tasse) de bouillon de bœuf
1 cuillerée à soupe de concentré de tomates
1 bouquet garni
2 gousses d'ail pilées
6 cuillerées à soupe de vin rouge
90 g (3 oz) d'échalotes
90 g (3 oz) de champignons de Paris
2 cuillerées à soupe de beurre
500 g (1 lb) de pommes de terre
180 g (6 oz) de chou vert
2 à 4 cuillerées à soupe de lait
sel, poivre
quelques brins de persil pour décorer

1 Préchauffez le four à 160 °C (325°F). Ôtez le gras de la viande et coupez-la en cubes.

2 Dans une poêle, faites chauffer l'huile et mettez la moitié de la viande à dorer de tous côtés. Réservez-la sur une assiette, et faites revenir l'autre moitié de la viande et l'oignon émincé.

3 Remettez dans la poêle la première portion de viande avec son jus de cuisson, saupoudrez de farine, puis ajoutez le bouillon et le concentré de tomates. Portez à ébullition en remuant.

4 Pour les enfants, versez un tiers de cette viande dans une petite cocotte, en veillant à ce qu'elle soit bien recouverte de bouillon. Ajoutez quelques fines herbes ou la moitié d'une feuille de laurier. Mettez la cocotte de côté.

5 Dans la poêle contenant le reste de viande, ajoutez le reste d'herbes, l'ail et le vin. Salez et poivrez. Portez à ébullition, puis versez dans une grande cocotte. Couvrez les deux cocottes et faites cuire au four pendant 2 heures, jusqu'à ce que la viande soit tendre.

6 Pendant ce temps, coupez les échalotes en deux si elles sont grosses, lavez les champignons et coupez-les en lamelles. Réservez dans un bol couvert.

7 Une demi-heure avant la fin de la cuisson, faites dorer les échalotes dans un peu de beurre. Ajoutez-y les champignons et faites-les sauter 2 à 3 minutes. Versez le tout dans la grande cocotte et remettez au four.

8 Coupez les pommes de terre en gros dés et faites-les cuire dans de l'eau bouillante salée environ 20 minutes. Coupez le chou en fines lanières. Faites-le cuire 5 minutes à la vapeur au-dessus des pommes de terre.

9 Égouttez les pommes de terre et réduisez-les en purée avec 2 cuillerées à soupe de lait et le reste du beurre.

10 Pour bébé, hachez ou mixez un tiers du contenu de la petite cocotte avec une cuillerée de chou, en ajoutant un peu de lait si nécessaire. Versez dans un bol, avec un peu de purée.

11 Pour l'enfant, transférez le reste de la petite cocotte sur une assiette. Ôtez la feuille de laurier et coupez la viande en petits morceaux. Ajoutez de la purée et du chou.

12 Pour les adultes, servez le contenu de la grande cocotte. Ajoutez de la purée et du chou et décorez avec des fines herbes.

Porc braisé au riz

3 côtes de porc
    (environ 600g / 1 1/4 lb)

1 cuillerée à soupe d'huile d'olive

1 oignon grossièrement émincé

1 grosse carotte taillée en petits dés

2 branches de céleri coupées
    en fines lamelles

2 gousses d'ail pilées

420 g (14 oz) de tomates concassées

brins de thym frais ou 1 pincée
    de thym séché

zeste râpé et le jus de 1/2 citron
    non traité

160 g (5 oz) de riz long grain

1 pincée de curcuma

120 g (4 oz) de haricots verts

1 noisette de beurre

4 cuillerées à soupe de parmesan
    fraîchement râpé

sel, poivre

1 ou 2 branches de persil

1 Préchauffez le four à 180 °C
(350°F).

2 Dans une grande poêle, faites
chauffer l'huile, puis mettez-y les
côtes à dorer des deux côtés. Mettez-
les ensuite dans une cocotte.

3 Dans la poêle, faites dorer
3 minutes l'oignon, la carotte et le
céleri.

4 Ajoutez la moitié de l'ail, les
tomates, le thym et le jus de citron,
puis portez à ébullition en remuant
fréquemment. Nappez le porc de cette
préparation, couvrez et laissez cuire au
four pendant 1 h 30.

5 Remplissez à moitié d'eau deux
petites casseroles, et portez à
ébullition. Dans l'une d'elles, jetez
120 g (4 oz) de riz avec une pincée de
curcuma et un peu de sel. Jetez le reste
de riz dans la deuxième casserole.
Amenez de nouveau à ébullition et
laissez mijoter.

6 Épluchez les haricots verts et faites-
les cuire à la vapeur au-dessus de la
plus grande casserole de riz, pendant
8 minutes ou jusqu'à ce que le riz soit
moelleux à souhait.

7 Égouttez les deux casseroles de riz.
Remettez le riz jaune dans sa
casserole et ajoutez le beurre et le
parmesan. Poivrez légèrement.
Mélangez bien et gardez au chaud.

8 Coupez l'une des côtes de porc en
tout petits morceaux. Pour l'enfant,
mettez un peu de riz blanc sur une
assiette, avec la moitié des morceaux de
viande. Ajoutez un peu de légumes et
une cuillerée de sauce. Pour bébé,
passez l'autre moitié de la viande au
mixer, avec quelques légumes, du riz et
de la sauce. Versez dans un bol.

9 Dressez les assiettes destinées aux
adultes avec du riz jaune et une
côte de porc. Rectifiez
l'assaisonnement de la sauce, puis
nappez la viande de sauce et de
légumes, sans oublier d'ôter les brins
de thym. Hachez finement le persil et
parsemez-en le plat, avec le zeste de
citron et le reste d'ail pilé.

10 Garnissez les assiettes des
adultes et de l'enfant avec des
haricots verts. Vérifiez, avant de servir,
la température des aliments destinés
aux enfants.

Fricassée de porc à la chinoise

270 g (9 oz) de filet de porc
1 courgette
1 carotte
1/2 poivron vert
1/2 poivron rouge
1/2 poivron jaune
200 g (7 oz) de germes de soja frais
4 cuillerées à café d'huile végétale
30 g (1 oz) de noix de cajou
15 cl (2/3 tasse) de bouillon de volaille
2 cuillerées à soupe de concentré de tomates
2 cuillerées à café de fécule délayées dans une cuillerée à soupe d'eau froide
1 gousse d'ail pilée
3 cuillerées à café de sauce soja

2 Dans un wok ou une grande poêle, faites chauffer 3 cuillerées à café d'huile. Jetez-y les noix de cajou et faites-les sauter 2 minutes. Égouttez-les sur du papier absorbant et mettez-les de côté.

3 Faites sauter les lamelles de porc 5 minutes en remuant sans cesse, jusqu'à ce qu'elles soient bien dorées. Égouttez et réservez au chaud.

4 Versez le reste d'huile dans la poêle, et faites-y revenir 2 minutes la courgette et la carotte. Ajoutez les poivrons et faites sauter 2 minutes.

5 Ajoutez les germes de soja, le bouillon, le concentré de tomates et la fécule. Portez à ébullition en remuant et laissez la préparation épaissir.

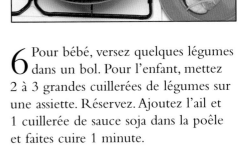

6 Pour bébé, versez quelques légumes dans un bol. Pour l'enfant, mettez 2 à 3 grandes cuillerées de légumes sur une assiette. Réservez. Ajoutez l'ail et 1 cuillerée de sauce soja dans la poêle et faites cuire 1 minute.

7 Hachez ou mixez quatre lamelles de porc avec les légumes destinés à bébé. Disposez six lamelles de porc sur l'assiette de l'enfant, que vous garnissez des légumes réservés à son intention. Pour les adultes, disposez sur des assiettes les légumes de la poêle.

8 Remettez la viande dans la poêle avec les noix de cajou et le reste de la sauce soja et laissez cuire encore 1 minute. Disposez le porc autour des légumes et servez aussitôt. Vérifiez, avant de servir, la température des aliments destinés aux enfants.

1 Ôtez le gras du porc et découpez-le en fines lamelles. Coupez la courgette en fines rondelles. Coupez également la carotte en fines rondelles et les poivrons en fines lanières, sans oublier d'en ôter les pépins et les côtes intérieures. Mettez les germes de soja dans une passoire et rincez-les soigneusement.

Cassolette de petites saucisses

500 g (1 lb) de saucisses de veau
aux herbes

1 cuillerée à soupe d'huile

1 oignon grossièrement émincé

240 g de carottes taillées en petits dés

210 g (7 oz) de haricots blancs
ou rouges

1 cuillerée à soupe de farine

30 cl (1 1/4 tasse) de bouillon de bœuf

1 cuillerée à soupe de sauce Worcester

3 cuillerées à café de concentré
de tomates

3 cuillerées à café de sucre roux
en poudre

2 cuillerées à café de moutarde
de Dijon

1 feuille de laurier

1 piment sec, haché

3 belles pommes de terre Bintje

1 cuillerée à soupe de beurre

sel, poivre

beurre et branches de persil frais,
pour garnir

1 Préchauffez le four à 180 °C
(350°F). Piquez les saucisses avec
une fourchette.

2 Faites chauffer l'huile dans une
poêle, mettez-y les saucisses et
faites cuire à feu vif jusqu'à ce qu'elles
aient bien doré mais ne soient pas
encore complètement cuites. Séchez
sur papier absorbant et réservez.

3 Ajoutez les oignons et les carottes,
et faites revenir. Ajoutez ensuite les
haricots et la farine, mélangez bien,
puis versez un tiers de la préparation
dans une petite cocotte. Ajoutez-y
15 cl (2/3 tasse) de bouillon,
1 cuillerée à café de concentré de
tomates et une de sucre.

4 Dans la poêle, ajoutez la sauce
Worcester et le reste de bouillon de
bœuf, de concentré de tomates et de
sucre, ainsi que la moutarde, la feuille
de laurier et le piment haché. Salez et
poivrez. Portez à ébullition, puis versez
la préparation dans une grande cocotte.

5 Versez deux saucisses dans la petite
cocotte, et le reste dans un grand
plat. Couvrez et faites cuire au four
pendant 1 h 30.

6 Lavez les pommes de terre, piquez-
les avec une fourchette. Mettez-les
au four sur une grille au-dessus des
cocottes pendant 1 h 30.

7 Versez deux tiers de la petite
cocotte sur une assiette pour
l'enfant. Coupez les saucisses en
rondelles. Disposez les deux tiers des
rondelles, ainsi qu'une moitié de
pomme de terre avec une noisette de
beurre sur son assiette.

8 Réduisez l'autre moitié de pomme
de terre en purée avec le reste des
haricots de la petite cocotte. Versez
dans un bol pour bébé, et servez-lui les
rondelles de saucisse à manger avec les
doigts.

9 Répartissez le contenu de la grande
cocotte sur deux assiettes. Coupez
en deux les autres pommes de terre et
déposez dessus une noisette de beurre.
Décorez avec des brins de persil.

PLATS À BASE DE VOLAILLE

La dinde et le poulet sont toujours très bien accueillis. Ce sont en outre des plats économiques qui, avec un peu d'imagination, se transforment en délices de gastronome. Choisissez parmi ces quelques savoureuses recettes : salade de poulet, escalopes de dinde à la poêle, poulet sauce tandoori, blancs de poulet farcis au basilic...

Poulet braisé au thym

6 cuisses de poulet

1 cuillerée à soupe d'huile d'olive

1 oignon grossièrement émincé

2 cuillerées à soupe de farine

30 cl (1 1/4 tasse) de bouillon
    de volaille

brins de thym frais ou 1 pincée
    de thym séché

En garniture

360 g (12 oz) de pommes
    de terre nouvelles

1 grosse carotte

175 g (6 oz) de petits pois

1 cuillerée à café de moutarde
    de Dijon

zeste râpé et le jus de 1/2 orange
    non traitée

4 cuillerées à soupe de crème fraîche

sel, poivre

branches de thym ou de persil frais,
    pour décorer

1 Préchauffez le four à 180 °C (350°F).

2 Dans une poêle, chauffez l'huile, et faites-y dorer le poulet. Disposez-le dans une cocotte.

3 Dans la poêle, faites revenir l'oignon. Saupoudrez de farine, puis versez le bouillon et le thym. Portez à ébullition sans cesser de tourner.

4 Versez sur le poulet, couvrez et faites cuire au four pendant 1 heure ou jusqu'à ce qu'il soit bien tendre.

5 Pendant ce temps, lavez les pommes de terre, et partagez les plus grosses en deux. Découpez les carottes en petits bâtonnets.

6 Faites cuire les pommes de terre à l'eau bouillante 15 minutes avant la fin de la cuisson du poulet. Faites cuire de même les carottes et petits pois dans une autre casserole, pendant 5 minutes. Égouttez les légumes.

7 Sortez une cuisse de poulet, ôtez-en la peau et l'os. Réduisez la chair en purée avec un peu de légumes arrosés de jus de cuisson jusqu'à obtention de la consistance voulue. Versez dans un bol à l'intention de bébé.

8 Prenez une deuxième cuisse de poulet pour l'aîné, ôtez-en la peau et l'os, et découpez la chair en petits morceaux. Disposez sur une assiette avec un peu de légumes arrosés de jus de cuisson.

9 Disposez le reste des cuisses de poulet sur des assiettes chaudes. Incorporez au jus de cuisson, la moutarde, le zeste et le jus d'orange, ainsi que la crème fraîche. Salez, poivrez. Nappez le poulet de cette sauce. Servez aussitôt, avec les légumes et une décoration de thym ou de persil.

Poulet tandoori

6 cuisses de poulet
150 g (5 oz) de yaourt nature
1 1/4 cuillerée à café de paprika
1 cuillerée à café de pâte de curry
1 cuillerée à café de graines de coriandre broyées
1/2 cuillerée à café de graines de cumin broyées
1/2 cuillerée à café de curcuma
1 pincée d'herbes de Provence séchées
2 cuillerées à café d'huile
En garniture
360 g (12 oz) de pommes de terre nouvelles
3 branches de céleri
1 tronçon de concombre
1 cuillerée à soupe d'huile d'olive
1 cuillerée à café de vinaigre de vin blanc
sel, poivre
quelques branches de cresson, 1 noisette de beurre et des tomates cerises pour décorer

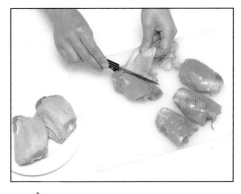

1 Ôtez la peau des cuisses de poulet, et entaillez-les à deux ou trois endroits avec un petit couteau.

2 Disposez quatre cuisses dans un plat à gratin, les deux autres sur une assiette. Dans un bol, mélangez le yaourt, 1 cuillerée à café de paprika, la pâte de curry, la coriandre et le cumin et la majeure partie du curcuma. Nappez les cuisses de ce mélange.

3 Parsemez les deux autres cuisses avec le reste de paprika et les herbes de Provence, et l'une d'elles avec le reste de curcuma. Recouvrez les deux plats d'un film plastique et réfrigérez pendant 2 à 3 heures.

4 Préchauffez le four à 200 °C (400°F). Disposez les cuisses de poulet sur une grille au-dessus d'un petit plat à four, et arrosez d'huile les morceaux de poulet parsemés d'herbes. Versez un peu d'eau bouillante dans le fond du plat et faites cuire de 45 à 50 minutes.

5 Pendant ce temps, lavez les pommes de terre et coupez les plus grosses en deux. Faites-les cuire à l'eau bouillante pendant 15 minutes environ.

6 Découpez en bâtonnets une branche de céleri et un petit morceau de concombre. Hachez le reste.

7 Dans un bol, préparez la vinaigrette, mélangez l'huile et le vinaigre. Salez et poivrez. Ajoutez le céleri, le concombre et le cresson et mélangez soigneusement.

8 Égouttez les pommes de terre et parsemez-les de noisettes de beurre. Répartissez-les entre les assiettes destinées aux adultes, l'assiette de l'enfant et le bol de bébé. Enlevez l'os de la cuisse destinée à l'enfant et disposez le poulet sur son assiette avec la moitié des bâtonnets de céleri et de concombre.

9 Découpez en tout petits morceaux la cuisse destinée à bébé, dont vous aurez ôté l'os. Ajoutez-les au bol contenant les pommes de terre et les bâtonnets de légumes, et laissez bébé se nourrir seul. Garnissez chaque assiette d'enfant de quelques moitiés de tomates cerises. Vérifiez, avant de servir, la température des aliments destinés aux enfants.

10 Pour les adultes, disposez les cuisses de poulet sur des assiettes avec les pommes de terre. Servez avec les crudités en vinaigrette.

Paupiettes de poulet

3 blancs de poulet désossés,
    sans la peau

1 cuillerée à café de pesto
    (sauce au basilic)

50 g (2 oz) de jambon
    en tranches fines

60 g (2 oz) de gruyère

360 g (12 oz) de pommes
    de terre nouvelles

180 g (6 oz) de haricots verts

1 cuillerée à soupe de beurre

2 cuillerées à café d'huile d'olive

1 tomate

6 olives noires dénoyautées

2 cuillerées à café de farine

15 cl (2/3 tasse) de bouillon de volaille

1 cuillerée à soupe de crème fraîche
    (facultatif)

feuilles de basilic frais (facultatif)

1 Placez un blanc de poulet entre deux morceaux de film plastique alimentaire et aplatissez-le avec un rouleau à pâtisserie jusqu'à en doubler la taille. Faites de même avec les deux autres blancs.

ASTUCE
Selon l'âge de votre bébé, vous préférerez peut-être ne pas lui donner de sauce de façon à ce qu'il puisse manger avec les doigts. Dans ce cas, coupez tout en petits morceaux.

2 Étalez le pesto sur deux des blancs. Coupez le jambon en trois parts. Coupez le fromage en trois tranches épaisses. Posez sur chaque blanc de poulet une part de jambon et une tranche de fromage. Roulez les blancs de façon à bien recouvrir le fromage, et ficelez-les avec de la ficelle de boucher.

3 Lavez les pommes de terre et coupez les plus grosses en deux. Faites-les cuire 15 minutes à l'eau bouillante. Épluchez les haricots verts et faites-les cuire séparément 10 minutes à l'eau bouillante.

4 Pendant ce temps, faites chauffer le beurre dans une grande poêle. Mettez-y le poulet à revenir 10 minutes environ, en le retournant plusieurs fois, jusqu'à ce qu'il soit doré et bien cuit.

5 Retirez le poulet de la poêle et gardez au chaud les blancs assaisonnés de pesto. Laissez les autres tiédir légèrement.

6 Coupez la tomate en quartiers et les olives en deux. Dans la poêle, incorporez la farine et laissez cuire 1 minute. Puis incorporez le bouillon. Portez à ébullition en mélangeant pour que la sauce épaississe. Ajoutez les tomates et les olives.

7 Coupez la ficelle de la paupiette destinée aux enfants, et coupez-la en tranches fines. Disposez quatre de ces tranches sur l'assiette de l'aîné avec quelques cuillerées de sauce, quelques pommes de terre et des haricots verts. (Ne lui proposez pas d'olives, à moins qu'il ne soit très curieux de nature.)

8 Hachez le reste des tranches avec 2 cuillerées à soupe de sauce, une ou deux pommes de terre et trois haricots verts. Vérifiez, avant de servir, la température des aliments destinés aux enfants.

9 Disposez les autres paupiettes sur des assiettes. Déglacez la poêle avec la crème fraîche et laissez chauffer légèrement. Nappez le poulet de crème et servez avec les légumes.

Escalopes de dinde au riz

3 grandes escalopes de dinde
1 oignon
1 poivron rouge, épépiné et débarrassé de ses côtes intérieures
1 cuillerée à soupe d'huile
1 cuillerée à café de farine
15 cl (2/3 tasse) de bouillon de volaille
2 cuillerées à soupe de maïs en grains
160 g (5 oz) de riz long grain
1 gousse d'ail
1 piment séché
60 g (2 oz) de lait de coco
2 cuillerées à soupe de coriandre fraîche
brins de coriandre fraîche et quartiers de citron vert, pour décorer

1 Coupez l'une des escalopes en tout petits morceaux, hachez finement un quart de l'oignon et coupez en petits dés un quart du poivron. Dans une petite poêle, faites chauffer 1 cuillerée à café d'huile. Faites-y dorer les petits morceaux de dinde et l'oignon haché.

2 Incorporez la farine, ajoutez le bouillon, le maïs et les dés de poivron, puis portez à ébullition. Couvrez et laissez mijoter 10 minutes.

3 Faites cuire le riz à l'eau bouillante pendant 8 à 10 minutes, ou jusqu'à ce qu'il soit cuit. Égouttez-le.

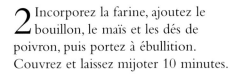

4 Pendant ce temps, réduisez en purée ou hachez finement le reste d'oignon et de poivron rouge avec l'ail et le piment, dont vous laisserez les grains si vous aimez la cuisine épicée.

5 Dans une grande poêle, faites revenir les escalopes de dinde dans le reste d'huile. Lorsqu'elles sont dorées d'un côté, retournez-les et ajoutez la pâte de poivron au piment. Faites revenir l'autre face, jusqu'à ce qu'elle aussi soit bien dorée.

6 Versez le lait de coco sur la dinde et laissez cuire de 2 à 3 minutes, en remuant jusqu'à ce que la sauce ait légèrement épaissi. Parsemez de coriandre fraîche ciselée.

7 Hachez finement ou mixez un tiers de la part destinée aux enfants avec 2 cuillerées à soupe de riz, jusqu'à obtention de la consistance voulue. Versez dans un bol pour bébé.

8 Dressez l'assiette destinée à l'enfant et servez avec un peu de riz. Vérifiez, avant de servir, la température des aliments destinés aux enfants.

9 Pour les adultes, disposez le reste de riz sur des assiettes chaudes, puis la dinde et la sauce. Décorez avec des brins de coriandre et des quartiers de citron vert.

Salade de poulet

3 blancs de poulet désossés,
    sans la peau

1/2 oignon grossièrement émincé

1 carotte, taillée en petits dés

15 cl (2/3 tasse) de bouillon de volaille
fines herbes

2 cuillerées à soupe de beurre

1 cuillerée à soupe de farine

2 cuillerées à soupe de maïs en grains

3 tranches de pain de mie

2 branches de céleri

1 pomme verte

1 pomme rouge

mesclun ou autre salade, pour garnir

Pour la sauce

3 cuillerées à soupe de yaourt nature

3 cuillerées à soupe de mayonnaise

1 cuillerée à café de coriandre en
poudre

sel, poivre noir du moulin

1 Mettez les blancs de poulet dans une casserole avec l'oignon émincé, les petits dés de carotte, le bouillon et les herbes. Couvrez et laissez cuire 15 minutes ou jusqu'à ce que le poulet soit bien tendre.

2 Coupez l'un des blancs en petits dés, les deux autres en plus gros morceaux.

3 Passez le bouillon au travers d'un tamis, hachez finement la carotte. Retirez et jetez l'oignon et les herbes.

4 Préchauffez le four à 190 °C (375°F). Dans une petite casserole, faites fondre 1 cuillerée à soupe de beurre ou de margarine, incorporez la farine, puis lentement le bouillon. Portez à ébullition, en remuant jusqu'à ce que la sauce soit lisse et onctueuse. Ajoutez le poulet coupé en petits dés, la carotte hachée et le maïs.

5 Découpez les tranches de pain en 3 carrés de 7 cm (3 po) de côté environ. Avec ce qui reste, découpez de toutes petites formes (des chiffres, par exemple). Avec le reste de beurre, tartinez les deux faces des carrés et une face des petites formes. Mettez les carrés de pain de mie dans des moules à tartelettes.

6 Faites griller les petites formes au four pendant 5 minutes et les carrés de pain pendant 10 minutes, jusqu'à ce que tout soit bien doré et croustillant.

7 Lavez le céleri et coupez-le en fines lamelles. Coupez les pommes et ôtez-en le trognon. Hachez-en grossièrement la moitié.

8 Pour la sauce, mélangez le yaourt, la mayonnaise et la coriandre. Salez et poivrez. Ajoutez les gros morceaux de poulet, le céleri, les pommes, et mélangez bien.

9 Ciselez les feuilles de salade et disposez-les sur le fond des plats destinés aux adultes. Ajoutez par-dessus la salade de poulet.

10 Hachez ou mixez la moitié de la préparation destinée aux enfants. Versez dans un bol et garnissez de petites formes en pain de mie. Réchauffez, s'il le faut, le reste de la préparation et mettez-en quelques cuillerées dans les carrés de pain. Disposez-les sur une assiette à l'intention de l'aîné. Coupez en tranches fines les deux moitiés de pomme, pelez quelques-unes de ces tranches et disposez sur l'assiette et le bol des enfants.

LA MER À VOTRE TABLE

Poissons et fruits de mer sont délicieux tous les jours, mais s'accommodent aussi des repas de fête : vous en trouverez ici quelques recettes particulièrement savoureuses. Oubliez les bâtonnets de poisson pané et encouragez les enfants à goûter les galettes de poisson « maison », servies avec une sauce subtile pour les parents ; ou bien encore la paella, les bouchées au poisson et aux fruits de mer ou les brochettes de saumon et de cabillaud.

Paella

420 g (14 oz) de filet de cabillaud

120 g (4 oz) de crevettes ou d'un
mélange précuit et surgelé
de crevettes, moules et encornets

1 cuillerée à soupe d'huile d'olive

1 oignon grossièrement émincé

1 gousse d'ail pilée

160 g (5 oz) de riz long grain

1 pincée de safran ou de curcuma

brins de thym frais ou 1 pincée
de thym séché

240 g (8 oz) de tomates

1/2 poivron rouge, épépiné,
aux côtes intérieures enlevées
et grossièrement haché

1/2 poivron vert, épépiné,
aux côtes intérieures enlevées
et grossièrement haché

60 g (2 oz) de petits pois

2 cuillerées à soupe de persil frais
haché

sel, poivre

1 Ôtez la peau du poisson. Mettez les fruits de mer dans une passoire et rincez-les soigneusement à l'eau froide.

2 Dans une grande poêle, faites chauffer l'huile et légèrement blondir l'oignon, en remuant de temps en temps. Ajoutez l'ail et 120 g (4 oz) de riz. Laissez cuire 1 minute.

3 Ajoutez le safran ou le curcuma, le thym, deux des tomates et 35 cl (1 1/2 tasse) d'eau. Salez et poivrez. Portez à ébullition et laissez cuire 5 minutes.

4 Mettez le reste de riz et des tomates en boîte dans une petite casserole avec 8 cl (1/3 tasse) d'eau. Couvrez et laissez cuire environ 5 minutes à petit feu.

5 Ajoutez dans la petite casserole 1 cuillerée à soupe de poivrons mélangés et 1 cuillerée à soupe de petits pois. Mettez le reste des légumes dans la poêle. Placez 120 g (4 oz) de poisson dans un panier vapeur. Couvrez et faites cuire 5 minutes à la vapeur. Ajoutez le reste de poisson à la paella dans la poêle, couvrez et laissez cuire 5 minutes.

6 Incorporez les fruits de mer à la paella, couvrez la poêle et faites cuire encore 3 minutes.

7 Ajoutez le persil haché et dressez deux assiettes chaudes pour les adultes. Disposez la moitié du mélange riz-tomate et la moitié du poisson sur une assiette pour l'enfant. Réduisez en purée le reste de poisson et de riz à l'intention de bébé. Versez dans un bol et regardez une dernière fois qu'il ne reste aucune arête. Vérifiez, avant de servir, la température des aliments destinés aux enfants.

Galettes de poisson

500 g (1 lb) de pommes de terre
coupées en petits morceaux

500 g (1 lb) de filet de cabillaud

90 g (3 oz) d'épinards frais,
lavés et équeutés

5 cuillerées à soupe de lait

2 cuillerées à soupe de beurre

1 œuf

240 g (8 oz) de chapelure

1 cuillerée à café de concentré
de tomates

30 g (1 oz) d'olives vertes dénoyautées

120 g (4 oz) de crème fraîche
ou de yaourt nature

3 tomates, coupées en quartiers

1/2 oignon, coupé en fines rondelles

1 cuillerée à soupe de petits pois cuits

huile pour la cuisson des galettes

sel, poivre

quartiers de citron et salade verte,
pour garnir

1 Remplissez à moitié d'eau une grande casserole. Mettez-y les pommes de terre et portez à ébullition. Posez le poisson dans un panier vapeur. Couvrez et laissez cuire de 8 à 10 minutes.

2 Sortez le poisson du panier vapeur et posez-le sur une assiette. Mettez les épinards dans le panier, et faites-les cuire 3 minutes. Une fois la cuisson terminée, mettez-les dans un plat. Vérifiez la cuisson des pommes de terre, laissez cuire 1 à 2 minutes de plus s'il le faut, puis égouttez et réduisez en purée avec 2 cuillerées à soupe de lait et le beurre.

3 Ôtez la peau du poisson et effeuillez-le en vérifiant qu'il ne reste aucune arête. Hachez les épinards et ajoutez-les aux pommes de terre avec le poisson.

4 Pour bébé, mettez dans un bol 3 cuillerées à soupe de ce mélange, et réduisez-le en purée avec 2 cuillerées à soupe de lait. Salez et poivrez légèrement le reste du mélange de poisson.

5 Pour l'enfant, prélevez trois cuillerées à soupe de mélange de poisson et façonnez trois petites boulettes avec les mains farinées. À l'intention des adultes, façonnez quatre galettes avec le reste du mélange.

ATTENTION
Veillez à ne laisser aucune arête de poisson.

6 Dans une assiette creuse, battez l'œuf et le reste de lait. Déposez la chapelure sur une autre assiette. Trempez les boulettes et les galettes dans l'œuf, puis dans la chapelure.

7 Hachez grossièrement les olives. Incorporez-les au yaourt, ainsi que le concentré de tomates. Salez, poivrez. Versez le mélange dans un bol.

8 Dans une poêle, versez de l'huile et faites frire les boulettes sur les 2 faces de 2 à 3 minutes. Posez-les sur du papier absorbant, puis disposez-les sur l'assiette de l'enfant. Décorez-les avec des bouts de tomate pour la queue et des petits pois pour les yeux.

9 Faites frire les galettes dans la même poêle, sur les deux faces. Posez-les sur du papier absorbant, puis disposez sur des assiettes garnies de quartiers de citron et de tomate, et de fines rondelles d'oignon. Servez avec la sauce au yaourt et de la salade verte. Vérifiez, avant de servir, la température des aliments.

Bouchées de poisson et fruits de mer

270 g (9 oz) de pâte feuilletée
farine pour abaisser la pâte
1 jaune d'œuf battu
360 g (12 oz) de filet de cabillaud
8 cl (1/3 tasse) de lait
1/2 poireau
2 cuillerées à soupe de beurre
2 cuillerées à soupe de farine
60 g (2 oz) de crevettes fraîches
sel, poivre
brocolis, carottes nouvelles
et pois gourmands, pour garnir

1 Préchauffez le four à 220 °C (425°F). Abaissez la pâte sur un plan légèrement fariné pour former un rectangle de 22 x 15 cm (9 x 6 po) environ. Découpez la pâte en trois bandes de 7 cm (3 po) de large.

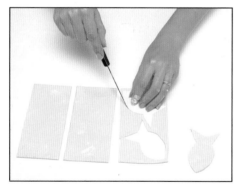

2 Découpez deux formes de poisson dans l'une des bandes. Égalisez les bords avec un couteau et découpez un ovale au centre de chaque « poisson » à quelques millimètres des bords et en laissant quelques millimètres de pâte sur le fond. Posez les formes de poisson sur une plaque légèrement humide.

ASTUCE
Il vous sera peut-être plus facile d'utiliser une forme en papier comme « patron » pour découper la pâte.

3 Égalisez les bords d'une autre bande, puis découpez-y un rectangle plus petit, en laissant 1 cm (1/2 po) sur les bords. Retirez le rectangle.

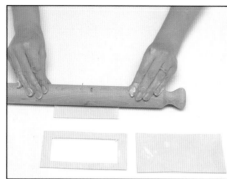

4 Abaissez le petit rectangle jusqu'à ce qu'il atteigne la taille du cadre de pâte. Badigeonnez les bords d'un peu de jaune d'œuf battu et posez le cadre sur le rectangle.

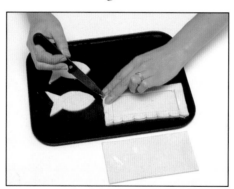

5 Disposez sur la plaque. Égalisez les bords du rectangle avec un petit couteau et formez des festons entre deux doigts. Faites de même avec la dernière bande de pâte.

6 Créez de minuscules formes de poisson dans les restes de pâte, en l'abaissant à nouveau s'il le faut. Posez-les sur la plaque. Badigeonnez le dessus avec le jaune d'œuf battu et enfournez pendant 10 minutes. Retirez alors les toutes petites formes de poisson et laissez cuire les autres pâtes 5 minutes encore, pour qu'elles soient bien croustillantes et dorées.

7 Pendant ce temps, préparez la garniture. Coupez le poisson en deux morceaux et placez-le dans une casserole avec le lait. Coupez le poireau en rondelles et jetez-le dans la casserole.

8 Couvrez et laissez mijoter de 6 à 8 minutes, ou jusqu'à ce que le poisson s'effeuille facilement à la fourchette. Retirez le poisson de la casserole, ôtez la peau, puis effeuillez en vérifiant qu'il ne reste aucune arête.

9 Passez le lait au travers d'une passoire fine et réservez le poireau. Faites fondre le beurre, incorporez la farine, puis le lait. Portez à ébullition, sans cesser de tourner jusqu'à obtention d'une consistance lisse et onctueuse.

10 Incorporez le poisson à la sauce. Évidez le centre des croûtes en forme de poisson et remplissez d'un peu de préparation à l'intention de l'enfant. Versez deux cuillerées à soupe de préparation dans un bol pour bébé.

11 Ajoutez une crevette à chaque bouchée en forme de poisson et versez le reste des crevettes dans la casserole, avec le poireau. Salez et poivrez légèrement. Faites réchauffer lentement et remplissez les deux grandes croûtes de ce mélange. Posez-les sur des assiettes et servez avec les légumes cuits à la vapeur.

12 Hachez avec des légumes la part de préparation destinée à bébé. Servez dans un bol avec quelques tout petits poissons en pâte.

Brochettes de saumon et de cabillaud

1 morceau de saumon de 210 g (7 oz)

300 g (10 oz) de filet de cabillaud

3 cuillerées à café de jus de citron

2 cuillerées à café d'huile d'olive

1/2 cuillerée à café de moutarde
de Dijon

sel, poivre

360 g (12 oz) de pommes
de terre nouvelles

210 g (7 oz) de petits pois

4 cuillerées à soupe de beurre

1 à 2 cuillerées à soupe de lait

3 tomates épépinées et grossièrement
hachées

1/2 de tête de laitue ciselée

Pour la sauce moutarde

1 brin d'aneth frais

4 cuillerées à café de mayonnaise

1 cuillerée à café de moutarde
de Dijon

1 cuillerée à café de jus de citron

1/2 cuillerée à café de sucre roux
en poudre

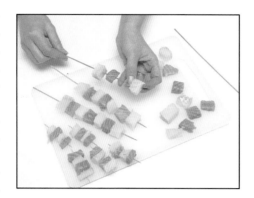

2 Coupez quelques cubes de poisson en plus petits morceaux et embrochez-les sur cinq cure-dents en bois. Embrochez les autres cubes sur des piques en bois.

3 Dans un bol, mélangez le jus de citron, l'huile et la moutarde. Salez et poivrez. Réservez.

4 Mélangez ensuite l'aneth finement haché avec les autres ingrédients de la sauce moutarde et réservez.

5 Lavez les pommes de terre et faites-les cuire 15 minutes à l'eau bouillante légèrement salée. Dans une poêle, mettez la moitié du beurre et les petits pois, couvrez et laissez cuire 5 minutes à feu très doux.

1 Rincez le poisson sous l'eau froide, séchez. Coupez le morceau de saumon en deux, retirez-en éventuellement l'arête centrale et la peau, et découpez la chair en cubes. Retirez la peau du filet de cabillaud si nécessaire et coupez-le en cubes de même dimension. Assurez-vous qu'il ne reste aucune arête.

6 Préchauffez le gril du four, posez les brochettes sur une plaque et badigeonnez les gros cubes du mélange à la moutarde. Faites griller pendant environ 5 minutes, en retournant une fois, pour que le poisson soit bien cuit.

7 Retirez le poisson de deux brochettes cure-dents et mélangez-le, dans un bol, à quelques petites pommes de terre et 1 cuillerée à soupe de petits pois. Écrasez ou mixez avec un peu de lait. Versez dans un bol à l'intention de bébé.

8 Pour l'aîné, disposez sur une assiette les trois petites brochettes restantes, avec quelques pommes de terre, 2 cuillerées à soupe de petits pois et un peu de tomate hachée. Vérifiez, avant de servir, la température des aliments

9 Pour les adultes, ajoutez aux petits pois dans la poêle le reste des tomates hachées. Laissez cuire 2 minutes. Ajoutez la laitue et faites cuire 1 minute encore. Disposez les légumes sur des assiettes, avec les grandes brochettes et quelques pommes de terre.

ASTUCE

Vous préférerez peut-être, pour plus de sécurité, retirer les cure-dents des brochettes destinées à l'enfant.

Thon aux épinards

60 g (2 oz) de petites pâtes
180 g (6 oz) d'épinards frais
60 g (2 oz) de jardinière de légumes surgelés
200 g (7 oz) de thon au naturel
2 œufs
tranches de pain grillé et tomates grillées au four, pour garnir
Pour la sauce
2 cuillerées à soupe de beurre
3 cuillerées à soupe de farine
30 cl (1 1/4 tasse) de lait
120 g (4 oz) de gruyère râpé

1 Faites cuire les pâtes 10 minutes à l'eau bouillante. Pendant ce temps, équeutez les épinards, lavez-les soigneusement. Mettez-les dans un panier vapeur ou une passoire métallique.

2 Trois minutes avant la fin de cuisson des pâtes, jetez les légumes surgelés dans leur eau et posez le panier d'épinards au-dessus de la casserole. Couvrez et laissez cuire.

ASTUCE
Les légumes congelés sont souvent plus nutritifs que les frais, s'ils sont congelés lorsqu'ils sont bien mûrs.

3 Égouttez les pâtes et les légumes dans une passoire. Hachez un quart des épinards que vous ajoutez aux pâtes et légumes. Répartissez le reste d'épinards entre deux petits plats à four destinés aux adultes.

4 Égouttez le thon, effeuillez-le et répartissez entre les plats et la passoire.

5 Remplissez à nouveau d'eau la casserole ayant servi à la cuisson des pâtes. Portez à ébullition, puis cassez les œufs délicatement dans l'eau. Laissez frémir jusqu'à ce que les blancs se soient raffermis. Retirez les œufs avec une écumoire, découpez le blanc et secouez légèrement pour qu'il ne reste pas d'eau. Disposez les œufs pochés sur le thon à l'intention des adultes.

6 Pour la sauce, faites fondre le beurre dans une petite casserole. Incorporez la farine, puis, lentement, le lait. Portez à ébullition, sans cesser de remuer, jusqu'à obtention d'une consistance lisse et onctueuse.

7 Incorporez le fromage à la sauce, en réservant une petite quantité pour le gratin. Nappez de cette sauce les plats destinés aux adultes, en recouvrant bien les œufs. Pour les enfants, mélangez les pâtes, les légumes et le thon au reste de sauce.

8 Disposez quelques cuillerées de la préparation sur une assiette à l'intention de l'enfant. Pour bébé, hachez ou mixez le reste avec un peu de lait jusqu'à obtention de la consistance voulue. Versez dans un bol. Vérifiez, avant de servir, la température des aliments destinés aux enfants.

9 Préchauffez le gril du four, parsemez les plats des adultes du reste de fromage râpé et faites dorer de 4 à 5 minutes. Servez avec des tranches de pain grillé et des tomates au four.

L'ART D'ACCOMODER LES LÉGUMES

Nous sommes de plus en plus nombreux à manger moins de viande. Mais l'absence de viande au menu ne signifie pas nécessairement que l'on doive sacrifier la gastronomie : loin de là ! Pour le prouver, goûtez à ces recettes : croque-madame, gratin de légumes ou tagine de légumes à la marocaine...

Croque-madame et croque-monsieur

2 tranches de pain épaisses
2 tranches de pain fines
beurre
1 cuillerée à café de moutarde douce
2 fines tranches de jambon de Paris
1 gousse d'ail coupée en deux
1 cuillerée à soupe d'huile d'olive
200 g (7 oz) de gruyère
1 tomate
6 olives noires dénoyautées
1 cuillerée à soupe de basilic frais ciselé
rondelles d'oignon rouge
bâtonnets de céleri et de salade verte, pour garnir

2 Frottez les tranches épaisses avec les moitiés de gousse d'ail, puis arrosez de quelques gouttes d'huile.

4 Coupez la tomate en rondelles, et les olives en deux. Disposez-les sur les tranches épaisses destinées aux adultes, poivrez et décorez de rondelles d'oignon et de basilic ciselé.

3 Coupez le fromage en fines lamelles. Recouvrez-en toutes les tranches de pain grillé.

5 Passez sous le gril du four jusqu'à ce que le fromage grésille. Découpez les croque-monsieur simples en tout petits carrés, dont vous enlevez la croûte. Disposez les carrés sur une petite assiette à l'intention de bébé, et laissez tiédir. Pour l'aîné, découpez en triangles le croque-monsieur au jambon, disposez-les sur une assiette et ajoutez quelques bâtonnets de concombre.

1 Faites griller toutes les tranches de pain et beurrez les tranches fines. Sur l'une de ces tranches, ajoutez une fine couche de moutarde douce, puis une tranche de jambon.

6 Coupez en plusieurs morceaux les croque-madame destinés aux adultes, servez avec de la salade.

Pâtes à la sauce tomate

300 g (5 oz) de gros macaronis
    ou de « penne »

1 oignon

2 branches de céleri

1 poivron rouge

1 cuillerée à soupe d'huile d'olive

1 gousse d'ail pilée

420 g (14 oz) de tomates pelées
    en boîte

1/2 cuillerée à café de sucre semoule

8 olives noires dénoyautées

2 cuillerées à café de pesto
    (sauce au basilic)

1 pincée de piment (facultatif)

120 g (4 oz) de gruyère râpé

sel, poivre

2 cuillerées à café de parmesan râpé

salade verte, pour garnir

2 Pendant ce temps, hachez l'oignon et le céleri. Coupez le poivron en deux et retirez-en les graines et les côtes intérieures. Taillez-le en petits dés.

3 Dans une grande poêle, faites chauffer l'huile. Jetez-y les légumes et l'ail et faites revenir 5 minutes, en remuant bien, jusqu'à ce qu'ils aient blondi.

1 Faites bouillir les pâtes dans une grande quantité d'eau salée durant le temps de cuisson conseillé sur le paquet.

4 Ajoutez les tomates et le sucre et laissez cuire 5 minutes encore, en remuant jusqu'à ce que les tomates aient fondu.

5 Égouttez les pâtes, remettez-les dans la casserole. Versez par-dessus la sauce tomate, et mélangez bien.

6 Mettez 3 à 4 cuillerées à soupe de pâtes dans un bol, puis hachez ou mixez jusqu'à obtention de la consistance voulue pour bébé. Mettez 5 à 6 cuillerées à soupe de pâtes dans un autre bol à l'intention de l'aîné.

7 Coupez les olives en petits morceaux et ajoutez-les au reste de pâtes avec le pesto, et le piment éventuellement. Salez et poivrez légèrement. Dressez sur des assiettes pour les adultes.

8 Parsemez tous les plats de gruyère râpé et servez ceux des adultes accompagnés de parmesan râpé et de salade verte. Vérifiez, avant de servir, la température des aliments destinés aux enfants.

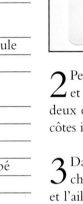

Choux pâtissiers aux courgettes

4 cuillerées à soupe de beurre

50 g (2 oz) de farine

2 œufs

1/2 cuillerée à café de moutarde
de Dijon

120 g (4 oz) de gruyère

sel, poivre

Pour la garniture

1 cuillerée à soupe d'huile d'olive

    360 g (12 oz) de courgettes,
coupées en rondelles

1 petit oignon grossièrement émincé

120 g (4 oz) de champignons de Paris,
coupés en lamelles

240 g (8 oz) de tomates pelées
et réduites en morceaux

1 gousse d'ail pilée

4 cuillerées à café de basilic frais ciselé

1 Préchauffez le four à 220 °C
(425°F). Beurrez une grande
plaque à four. Mettez le beurre dans
une casserole de taille moyenne avec
15 cl (2/3 tasse) d'eau. Faites chauffer
lentement jusqu'à ce que le beurre ait
fondu, puis portez à ébullition.

2 Retirez la casserole du feu et
incorporez rapidement la farine.
Mélangez soigneusement, puis remettez
la casserole sur le feu et laissez cuire de
1 à 2 minutes, en tournant sans cesse.
Laissez tiédir pendant 10 minutes.

3 Dans une terrine, battez les œufs et
la moutarde. Salez et poivrez
légèrement. Coupez 30 g (1 oz) de
fromage en petits dés, et râpez le reste.

4 Incorporez à la pâte 60 g (2 oz) de
fromage râpé, puis, délicatement, les
œufs battus, jusqu'à ce que la pâte soit
lisse et luisante.

5 Remplissez de pâte une poche à
douille lisse de taille moyenne.
Moulez sur la plaque des boules de pâte
de 4 à 5 cm (environ 2 po) de diamètre,
de façon à former une couronne
d'environ 18 cm (7 po) de diamètre.

6 De la même façon, moulez le reste
de pâte en toutes petites boules
pour bébé, et en formant des lettres.

7 Parsemez les boules de pâte avec le
reste de fromage râpé.

8 Faites cuire au four de 15 à
18 minutes en ce qui concerne les
petits choux, et 25 minutes pour la
couronne.

9 Dans une poêle, faites chauffer
l'huile, jetez-y les courgettes et
l'oignon et faites revenir jusqu'à ce
qu'ils aient doré. Ajoutez les
champignons et laissez cuire encore
2 minutes. Ajoutez ensuite les tomates,
couvrez et laissez mijoter 5 minutes
pour achever la cuisson des légumes.

10 Versez une ou deux cuillerées
de légumes dans un bol à
l'intention de bébé. Hachez ou mixez.
Servez avec des petits choux au
fromage et quelques dés de gruyère.

11 Disposez quelques cuillerées de
légumes sur une assiette à
l'intention de l'enfant. Ajoutez-y une
lettre et le reste des dés de gruyère.

12 Posez sur un plat la couronne
de petits choux au fromage.
Coupez-la horizontalement en deux.
Ajoutez l'ail et le basilic à la
préparation de courgettes. Rectifiez
l'assaisonnement et faites réchauffer.
Étalez les courgettes sur la moitié de la
couronne de choux, puis recouvrez
avec l'autre moitié de couronne. Servez.

VARIANTE

Vous pouvez, si vous le préférez,
travailler au mixer le mélange de
farine, beurre, fromage et œufs.

Gratin de légumes

1 oignon

240 g (8 oz) de carottes

180 g (6 oz) de céleri-rave

180 g (6 oz) de navets

1 cuillerée à soupe d'huile d'olive

220 g (7 1/2 oz) de haricots rouges
en boîte

2 cuillerées à café de paprika

1 cuillerée à café de cumin en poudre

1 cuillerée à soupe de farine

30 cl (1 1/4 tasse) de bouillon
de légumes

240 g (8 oz) de brocolis, pour garnir

Pour la sauce

120 g (4 oz) de gruyère

120 g (4 oz) de farine

60 g (2 oz) de beurre

2 cuillerées à soupe de graines
de sésame

30 g (1 oz) d'amandes concassées

sel, poivre

1 Préchauffez le four à 190 °C (375°F). Pelez l'oignon et émincez-le grossièrement. Pelez les carottes, le céleri-rave et les navets, et taillez-les en dés. Dans une grande casserole, faites chauffer l'huile, jetez-y les légumes et faites-les revenir 5 minutes en remuant bien.

2 Égouttez les haricots rouges et versez-les dans la poêle, avec les épices et la farine. Mélangez bien, ajoutez le bouillon. Couvrez et laissez mijoter 10 minutes.

3 Pendant ce temps, préparez la sauce. Coupez quelques dés de fromage pour bébé, et râpez le reste. Dans une terrine, mettez la farine, ajoutez le beurre et mélangez avec les doigts jusqu'à ce que le mélange ressemble à de fines miettes de pain. Incorporez le fromage râpé et les graines de sésame.

4 Versez quelques cuillerées de légumes dans un plat à gratin de 30 cl (1 1/4 tasse) à l'intention de l'enfant. Versez le reste des légumes dans une tourtière de 90 cl (3 3/4 tasses) pour les adultes, en laissant un peu de légumes dans la casserole à l'intention de bébé. Salez et poivrez le plat destiné aux adultes.

VARIANTE

**Gratin aux lentilles
et aux fines herbes**

Remplacez les haricots rouges par des lentilles en boîte. À la place du paprika et du cumin, utilisez 2 cuillerées à soupe de fines herbes fraîches ciselées.

5 Recouvrez le plat destiné à l'enfant de 3 cuillerées à soupe de sauce. Ajoutez les amandes concassées au reste de sauce, salez et poivrez légèrement. Versez ce mélange sur le plat des adultes. Faites cuire au four 20 minutes pour le petit plat et 30 minutes pour le grand, afin d'obtenir un gratin bien doré.

6 Ajoutez 8 cl (1/3 tasse) d'eau à la casserole contenant les légumes réservés à bébé. Couvrez et laissez cuire 10 minutes, en remuant de temps en temps, pour que les légumes deviennent extrêmement tendres. Réduisez en purée jusqu'à obtention de la consistance voulue, et versez dans un petit bol.

7 Séparez les fleurettes de brocolis, et faites-les cuire 5 minutes environ. Égouttez. Prélevez quelques cuillerées de gratin dans le plat destiné à l'enfant, et dressez une assiette à son intention. Servez les brocolis à toute la famille, et laissez bébé les manger avec les doigts, avec des dés de fromage. Vérifiez, avant de servir, la température des aliments destinés aux enfants.

Attention ! Ne proposez jamais de noix ou d'amandes entières aux enfants de moins de 5 ans : ils risqueraient de s'étrangler.

Tagine de légumes à la marocaine

1 oignon
240 g (8 oz) de carottes
240 g (8 oz) de céleri-rave
90 g (3 oz) de pruneaux
4 cuillerées à café d'huile d'olive
450 g (15 oz) de pois chiches en boîte
1/2 cuillerée à café de curcuma
2 cuillerées à café de farine
2 gousses d'ail pilées
50 cl (1 7/8 tasse) de bouillon de volaille
1 cuillerée à soupe de concentré de tomates
1 petit morceau de racine de gingembre frais, haché
1/2 cuillerée à café de cannelle en poudre
3 clous de girofle
120 g (4 oz) de semoule de couscous
8 haricots verts
2 petits pois
1 quartier de tomate
beurre
sel, poivre
1 branche de coriandre fraîche, pour décorer

1 Pelez l'oignon et émincez-le grossièrement. Épluchez les carottes et le céleri-rave, et taillez-les en petits dés. Dénoyautez les pruneaux et coupez-les en petits morceaux.

2 Dans une grande casserole, faites chauffer 3 cuillerées à café d'huile d'olive, jetez les oignons et faites-les blondir. Ajoutez les carottes et le céleri-rave, et faites revenir 3 minutes, en remuant bien.

3 Égouttez les pois chiches et ajoutez-les aux autres légumes, avec le curcuma, la farine et l'ail. Versez 30 cl (1 1/4 tasse) de bouillon, puis ajoutez le concentré de tomates et les pruneaux. Portez à ébullition, couvrez et laissez mijoter 20 minutes

4 Dans une terrine ou le bol d'un mixer, mettez trois bonnes cuillerées de la préparation de légumes, que vous aurez auparavant égouttée de la majeure partie du liquide de cuisson. Réduisez en purée. Les mains farinées, façonnez une galette.

5 Hachez ou mixez deux bonnes cuillerées de la préparation de légumes avec son liquide de cuisson, jusqu'à obtention de la consistance voulue pour bébé. Versez dans un bol.

6 Incorporez le gingembre au reste de la préparation de légumes, ainsi que la cannelle, les clous de girofle et le reste de bouillon. Salez et poivrez.

7 Mettez la semoule de couscous dans une passoire, rincez-la à l'eau froide et égrainez-la avec une fourchette. Posez la passoire au-dessus des légumes, couvrez et faites cuire 5 minutes à la vapeur.

8 Dans le reste d'huile, faites dorer la galette des deux côtés. Épluchez les haricots verts et faites-les cuire avec les petits pois pendant 5 minutes. Égouttez. Disposez la galette et les haricots verts sur une assiette de façon à figurer une petite pieuvre, avec un morceau de tomate pour la bouche et deux petits pois pour les yeux.

9 Incorporez le beurre au couscous, et égrainez-le de nouveau avec une fourchette. Disposez-le sur des assiettes à l'intention des adultes, avec des légumes. Décorez avec une branche de coriandre.

Quiche aux poireaux et au gruyère

Pour la pâte

225 g (8 oz) de farine
6 cuillerées à soupe de beurre
1 carotte
2 tranches de jambon
1 tronçon de concombre de 10 cm (4 po)
salade variée, en accompagnement

Pour la garniture

2 cuillerées à soupe de beurre
120 g (4 oz) de poireaux émincés
90 g (3 oz) de roquefort coupé en petits dés
40 g (1 1/2 oz) de gruyère râpé
3 œufs
15 cl (3/4 tasse) de lait
1 pincée de paprika
sel, poivre

1 Dans une terrine, mettez la farine et 1 pincée de sel. Coupez le beurre en petits morceaux et incorporez-le à la farine en frottant avec les doigts jusqu'à ce que le mélange ressemble à de fines miettes de pain.

2 Ajoutez 6 à 7 cuillerées à café d'eau, pétrissez légèrement, puis abaissez la pâte sur un plan fariné. Disposez dans un moule à tarte de 18 cm (7 po) de diamètre environ, coupez le surplus de pâte. Réservez.

3 Abaissez le surplus de pâte et découpez-y 6 ronds de 8 cm (3 po) à l'aide d'un emporte-pièce. Posez les ronds de pâte dans des moules à tartelettes et mettez au réfrigérateur.

4 Préchauffez le four à 190 °C (375°F). Pour confectionner la garniture, faites fondre le beurre dans une petite poêle et mettez-y à revenir les poireaux de 4 à 5 minutes en remuant fréquemment, pour qu'ils deviennent tendres sans toutefois dorer. Mettez les poireaux dans un saladier, ajoutez le fromage, puis étalez cette préparation sur la grande quiche.

5 Dans un bol, battez les œufs et le lait. Salez et poivrez.

6 Répartissez le gruyère râpé entre les petites quiches, puis versez-y un peu du mélange d'œufs. Versez le reste du mélange sur la grande quiche et poudrez de paprika.

7 Faites cuire les petites quiches pendant 15 minutes et la grande quiche pendant 30 à 35 minutes, en attendant qu'elles soient gonflées et dorées. Laissez tiédir.

8 Épluchez la carotte et râpez-la grossièrement. Coupez le jambon en petits triangles. Coupez en fines lanières les bouts de jambon réservés à l'intention de bébé. Coupez le concombre en bâtonnets.

9 Sur l'assiette destinée à bébé, disposez une cuillerée de carottes, un peu de concombre, une petite quiche et des petites lanières de jambon. Disposez le reste de carottes sur l'assiette de l'enfant. Posez des petites quiches par-dessus et des triangles de jambon. Découpez la grande quiche en plusieurs parts et servez avec la salade.

LES DESSERTS

Toute le monde aime les desserts : profitez du week-end pour en confectionner !
Ces délicieuses recettes vous garantiront un succès sans réserve : pudding aux
pommes et aux mûres, clafoutis aux prunes, diplomate au chocolat et à la mandarine,
sablés à l'orange et à la fraise... Personne ne pourra résister !

Pain perdu aux fruits secs

3 abricots secs
3 cuillerées à soupe de raisins de Corinthe
2 cuillerées à soupe de rhum
7 tranches de pain de mie ou de pain brioché
1/2 cuillerée à soupe de beurre mou
2 cuillerées à soupe de sucre semoule
1 pincée de cannelle en poudre
4 œufs
30 cl (1 1/4 tasse) de lait
gouttes d'extrait de vanille
crème fraîche liquide, pour servir

2 Préchauffez le four à 190 °C (375°F). Beurrez légèrement les tranches de pain, et découpez l'une d'elles en tout petits triangles. Posez les triangles dans un petit plat à four, avec les abricots et les raisins secs non trempés et 1 cuillerée à café de sucre.

4 Battez les œufs avec le lait et l'extrait de vanille. Versez dans le ramequin et les deux tourtières.

1 Hachez grossièrement deux abricots secs et mettez-les dans un petit bol avec 2 cuillerées à soupe de raisins secs et le rhum. Laissez reposer 2 heures environ. Hachez le reste d'abricots et mélangez-le au reste de raisins secs.

3 Coupez les autres tranches de pain en triangles plus grands, et posez-les dans un plat à four plus grand, avec les fruits macérés dans le rhum et le sucre restant sauf 1 cuillerée à café. Parsemez avec la cannelle. Mettez la dernière cuillerée à café de sucre dans un petit ramequin.

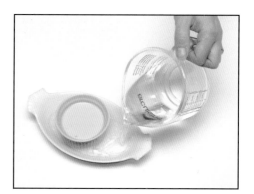

5 Posez le ramequin dans un grand plat en Pyrex à moitié rempli d'eau pour faire un bain-marie. Faites cuire la petite tourtière et le ramequin de 25 à 30 minutes jusqu'à ce que la crème soit prise. Faites cuire le grand plat pendant 35 minutes, pour que le pain prenne une belle couleur dorée. Servez aux adultes avec ou sans crème fraîche.

Clafoutis de pommes aux mûres

650 g (1 1/4 lb) de pommes

60 g (2 oz) de sucre semoule

60 g (2 oz) de mûres
   (fraîches ou surgelées)

Pour la pâte :

4 cuillerées à soupe de beurre

40 g (2 1/2 oz) de farine

1 œuf

zeste de 1/2 citron non traité

1 cuillerée à soupe de jus de citron

sucre glace

crème anglaise, pour servir

3 Disposez le reste de pommes cuites sur le fond d'un plat à gratin de 60 cl (2 1/2 tasses). Parsemez avec les mûres.

6 Râpez le zeste de citron. Incorporez-le au reste de la préparation avec le jus de citron. Versez sur le grand plat, en égalisant la surface.

1 Préchauffez le four à 180 °C (350°F). Épluchez les pommes, ôtez-en le trognon et coupez-les en tranches. Mettez-les dans une casserole avec le sucre semoule et 1 cuillerée à soupe d'eau. Couvrez et faites cuire à très petit feu 5 minutes, pour que les tranches, bien que tendres, restent entières.

2 Pour l'enfant, remplissez à moitié de pommes cuites un ramequin de 15 cl (2/3 tasse). Dans un petit bol, réduisez en purée 2 cuillerées à soupe de pommes à l'intention de bébé.

4 Pour confectionner la pâte, mettez dans une terrine le beurre , le sucre, la farine et l'œuf. Travaillez jusqu'à obtention d'une crème lisse et homogène. Recouvrez les pommes dans le ramequin d'une ou deux cuillerées de cette préparation.

5 Remplissez à moitié de cette préparation trois moules en papier plissé.

7 Posez sur une tôle les petits gâteaux, le ramequin et le plat des adultes. Passez au four 8 à 10 minutes pour les petits gâteaux, 20 minutes pour le ramequin et 30 minutes pour le grand plat, jusqu'à ce que le clafoutis soit doré.

8 Saupoudrez le ramequin et le grand plat de sucre glace et laissez légèrement tiédir. Servez avec de la crème anglaise. Faites réchauffer la compote de pomme destinée à bébé. Vérifiez-en la température avant de la servir avec les petits gâteaux sortis de leur moule.

VARIANTE

Vous pouvez remplacer les mûres par des framboises. Si vous utilisez des fruits surgelés, il n'est pas nécessaire de les faire décongeler. Ils se réchauffent rapidement au contact des pommes cuites.

Sablés à l'orange et à la fraise

6 cuillerées à soupe de farine
4 cuillerées à soupe de beurre
2 cuillerées à soupe de sucre semoule
zeste râpé de 1/2 orange non traitée
sucre pour saupoudrer
Pour la garniture
180 g (6 oz) de yaourt nature
1 cuillerée à soupe de sucre glace
270 g (9 oz) de fraises
1 cuillerée à café de Cointreau (facultatif)
2 brins de menthe fraîche

1 Préchauffez le four à 180 °C (350°F). Dans une terrine, mettez la farine et le beurre coupé en petits morceaux. Incorporez en frottant avec les doigts jusqu'à obtenir un mélange ressemblant à de fines miettes de pain.

2 Ajoutez le sucre et le zeste d'orange, et mélangez pour former une boule de pâte.

3 Pétrissez légèrement, puis abaissez sur un plan fariné à une épaisseur d'environ 6 mm (1/4 po). Avec des emporte-pièce, découpez dans la pâte 4 fleurs ou cercles festonnés et 12 formes amusantes. Abaissez à nouveau la pâte s'il le faut.

4 Posez les biscuits sur une tôle, piquez-les avec une fourchette et saupoudrez-les d'un peu de sucre. Faites cuire au four de 10 à 12 minutes. Laissez refroidir sur la tôle.

5 Pour la garniture, mélangez le yaourt et le sucre. Équeutez et lavez les fraises. Séchez-les sur du papier absorbant. Réservez 8 fraises et réduisez le reste en coulis. Passez ce coulis au tamis.

6 Pour les adultes, mettez 3 cuillerées à soupe de yaourt dans un bol. Ajoutez-y le Cointreau. Coupez quatre fraises en rondelles, et deux fraises en deux. Posez sur une assiette et couvrez.

7 Pour l'enfant, coupez deux fraises en rondelles et disposez-les en couronne au centre d'une assiette. Mettez 2 cuillerées à soupe de yaourt au centre de la couronne et servez avec 3 des tout petits biscuits.

8 Pour bébé, mélangez 1 cuillerée à soupe de coulis de fraises au reste de yaourt nature. Versez dans un petit bol. Servez avec un ou deux tout petits biscuits.

9 Couvrez les assiettes destinées aux adultes avec le reste du coulis de fraises.

10 Nappez deux grands biscuits avec le yaourt réservé, posez des rondelles de fraise, puis recouvrez avec les deux autres biscuits. Disposez sur les assiettes nappées de coulis et décorez avec des moitiés de fraise et de minuscules brins de menthe.

ASTUCE

Si vous avez du mal à abaisser la pâte sablée, mettez-la pendant environ 20 minutes au réfrigérateur. Pétrissez légèrement, puis abaissez sur un plan fariné, sans oublier de fariner également le rouleau.

Crème brûlée aux fruits exotiques

huile pour badigeonner la plaque
2 cuillerées à soupe de sucre roux en poudre
1 mangue bien mûre
1 kiwi
1 fruit de la passion
2 cuillerées à soupe de sucre glace
360 g (12 oz) de yaourt nature

1 Posez une feuille d'aluminium sur une plaque. Imprimez deux cercles avec un ramequin de 25 cl (1 tasse), puis un autre cercle avec un ramequin de 15 cl (2/3 tasse). Badigeonnez légèrement d'huile. Parsemez de sucre roux l'intérieur de chaque cercle, de façon à former une couche lisse et unie.

2 Faites griller les disques de sucre 2 à 3 minutes, pour les faire fondre et caraméliser. Laissez-les refroidir sur la plaque.

3 Coupez la mangue de part et d'autre de son noyau, puis découpez 6 tranches fines pour la décoration, en leur ôtant la peau. Coupez le reste de la chair de mangue sur le noyau, ôtez la peau. Hachez finement un quart de la chair de mangue, que vous répartissez entre un bol pour bébé et un petit ramequin pour l'enfant. Hachez grossièrement le reste de mangue et répartissez entre les deux grands ramequins.

4 Épluchez le kiwi, coupez-le en fines rondelles. Réservez quatre moitiés de rondelle et répartissez le fruit restant entre les différents plats : hachez finement le fruit destiné aux enfants. Partagez en deux le fruit de la passion, puis évidez-le avec une petite cuillère. Mettez les graines dans les ramequins destinés aux adultes.

5 Incorporez le sucre glace au yaourt et ajoutez une cuillerée à soupe de yaourt à la portion destinée à bébé. Versez deux cuillerées à soupe de yaourt dans le ramequin de l'enfant, en égalisant la surface.

6 Versez le reste de yaourt dans les deux autres ramequins, lissez avec le dos d'une cuillère. Réfrigérez toutes les portions jusqu'au moment de servir.

7 À ce moment, posez les deux grands ramequins sur des assiettes, en disposant harmonieusement les tranches réservées de mangue et de kiwi. Posez les disques de sucre sur les ramequins des adultes et de l'enfant. Servez aussitôt.

ASTUCE

La croûte d'une crème brûlée est confectionnée en parsemant la crème de sucre en poudre roux, puis en la passant sous le gril. Mais il est beaucoup plus facile de confectionner cette croûte sur une feuille d'aluminium graissée. Veillez à ne poser qu'au dernier moment les disques de sucre refroidis. Ils resteront ainsi très croustillants, et vous pourrez savourer avec délice ce mélange subtil de sucre caramélisé, de yaourt onctueux et de fruits rafraîchissants.

« Crumble » aux prunes

500 g (1 lb) de prunes bien mûres

2 cuillerées à soupe de sucre semoule

Pour la pâte

150 g (1 tasse) de farine

4 cuillerées à soupe de beurre
  coupé en petits morceaux

2 cuillerées à soupe de sucre semoule

2 cuillerées à soupe de pépites
  de chocolat

90 g (3 oz) de pâte d'amandes

2 cuillerées à soupe d'amandes effilées

crème anglaise ou yaourt nature,
  pour servir

1 Préchauffez le four à 190 °C (375°F). Lavez les prunes, dénoyautez-les et coupez-les en quartiers. Mettez-les dans une casserole avec le sucre et 2 cuillerées à soupe d'eau, couvrez et laissez cuire à petit feu 10 minutes.

2 Égouttez 6 quartiers de prune et hachez-les finement. Mettez-les dans un bol à l'intention de bébé, avec un peu du jus de cuisson.

3 Égouttez et hachez grossièrement 6 autres quartiers de prune, et mettez-les, à l'intention de l'enfant, dans un ramequin de 15 cl (2/3 tasse), avec un peu du jus de cuisson.

4 Versez le reste de prunes cuites dans un plat à gratin de 90 cl (3 2/3 tasses) pour les adultes.

5 Préparez la pâte, mettez la farine dans une terrine, incorporez le beurre, puis le sucre.

6 Prélevez 3 cuillerées à soupe de cette pâte. Ajoutez-y les pépites de chocolat, et recouvrez-en le ramequin.

7 Râpez grossièrement la pâte d'amandes et incorporez-la au reste de pâte, avec les amandes. Recouvrez de ce mélange le plat des adultes.

8 Posez sur une tôle le ramequin de l'enfant et le plat des adultes et faites cuire de 20 à 25 minutes, afin d'obtenir un crumble bien doré. Laissez légèrement tiédir avant de servir. Réchauffez s'il le faut la portion réservée à bébé et vérifiez, avant de servir, la température des aliments destinés aux enfants. Servez avec du yaourt nature ou de la crème anglaise.

VARIANTE

Vous pouvez varier les fruits : les pommes, les pêches et les poires conviennent également parfaitement à cette recette. Si les quetsches sont trop sures, ajoutez un peu de sucre.

ASTUCE

La température de cuisson peut varier selon le type de four : avec un four à convection, il faudra peut-être, à mi-cuisson, recouvrir le plat des adultes avec une feuille d'aluminium, afin qu'il ne noircisse pas trop.

Crème au chocolat et à la mandarine, accompagnée de biscuit roulé

1/2 biscuit roulé au chocolat
    du commerce

3 mandarines

4 cuillerées à café de sherry

60 g (2 oz) de chocolat noir

30 cl (1 1/4 tasse) de crème anglaise

6 cuillerées à soupe de crème fraîche

Smarties (facultatif)

3 Pelez les autres mandarines, hachez-les grossièrement et mettez-les dans les coupelles. Arrosez d'un peu de sherry.

5 Versez 2 cuillerées à soupe de crème anglaise dans un petit bol pour bébé. Posez le bol sur l'assiette avec le biscuit roulé et les quartiers de mandarine. Ajoutez un peu de crème anglaise dans le ramequin et versez le reste dans les coupelles destinées aux adultes.

1 Coupez en tranches le biscuit roulé. Coupez l'une des tranches en deux et posez-la sur une petite assiette pour bébé. Posez une deuxième tranche dans un ramequin à l'intention de l'enfant. Disposez les autres tranches dans deux coupelles pour les adultes.

2 Pelez une mandarine, séparez-la en quartiers. Mettez-en quelques-uns sur l'assiette de bébé. Hachez le reste et ajoutez-le au ramequin.

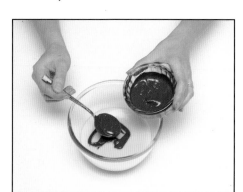

4 Cassez le chocolat en morceaux et faites-le fondre dans un bol au bain-marie. Incorporez le chocolat fondu à la crème anglaise.

6 Montez la crème fraîche en chantilly. Ajoutez-en une cuillerée au ramequin, et deux à trois cuillerées aux coupelles. Décorez éventuellement chaque dessert de quelques Smarties. Réfrigérez les desserts avant de servir.

ASTUCE

On peut faire fondre le chocolat au micro-ondes dans un récipient approprié à cette fin, 2 minutes à puissance maximale, en veillant à bien mélanger à mi-cuisson.

VARIANTE

Les mandarines peuvent être remplacées par d'autres fruits de saison : fraises et oranges en tranches fines, bananes en rondelles, cerises fraîches.

Apfelstrudel (gâteau aux pommes)

500 g (1 lb) de pommes
60 g (2 oz) d'abricots secs
3 cuillerées à soupe de raisins de Corinthe
2 cuillerées à soupe de sucre roux en poudre
2 cuillerées à soupe d'amandes en poudre
1 cuillerée à café de cannelle en poudre
2 cuillerées à soupe de beurre
3 feuilles de pâte filo
sucre glace pour saupoudrer
crème fraîche légère, pour servir

1 Préchauffez le four à 200 °C (400°F). Épluchez les pommes et hachez-les grossièrement, après en avoir ôté le trognon. Dans une casserole, mettez 150 g (5 oz) de pommes hachées, puis 3 abricots secs grossièrement hachés, 1 cuillerée à soupe de raisins secs, 1 cuillerée à soupe de sucre et 1 cuillerée à soupe d'eau. Couvrez et laissez mijoter 5 minutes.

2 Dans un saladier, versez le reste des abricots secs grossièrement hachés, le reste de pommes, de raisins secs et de sucre. Ajoutez la poudre d'amandes et la cannelle. Mélangez bien.

3 Faites fondre le beurre dans une petite casserole, ou 30 secondes au four à micro-ondes à puissance maximale.

4 Ouvrez soigneusement la pâte. Posez une feuille sur un plan fariné, badigeonnez de beurre, puis posez par-dessus une deuxième feuille de pâte et badigeonnez encore.

5 Étalez le mélange de pommes crues en une large bande au centre de la pâte.

6 Rabattez d'abord les deux extrémités courtes sur la farce, et badigeonnez de beurre. Repliez ensuite les côtés longs, de façon harmonieuse, pour bien contenir la farce. Posez sur une tôle et badigeonnez avec un peu de beurre.

7 Prenez la troisième feuille de pâte. Badigeonnez-en une moitié, puis rabattez la moitié non badigeonnée, de manière à former un carré. Badigeonnez à nouveau et découpez en trois rubans de taille égale.

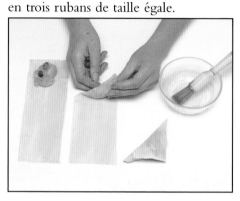

8 Déposez une cuillerée de marmelade de pommes à la base de chaque bande. Repliez le coin droit sur la farce, puis continuez de plier jusqu'à la fin de la bande de pâte pour former un triangle.

9 Faites de même avec les autres bandes de pâte.

10 Posez sur une tôle et badigeonnez avec le reste de beurre. Mettez au four. Les triangles demanderont 10 minutes de cuisson, le gros strudel une quinzaine de minutes. Il faut qu'ils soient croustillants et dorés. Saupoudrez de sucre glace.

11 Versez le reste de marmelade dans un bol pour bébé. Écrasez les fruits s'il le faut. Posez sur une assiette les triangles destinés à l'enfant. Coupez le strudel en tranches épaisses et servez aux adultes avec de la crème fraîche.

ASTUCE
La pâte filo est une pâte feuilletée très fine que l'on utilise tout autour de la Méditerranée. Elle est vendue dans le rayon frais des grandes surfaces ou dans les épiceries de produits exotiques.

Meringues aux fraises

Pour les meringues

2 blancs d'œufs

120 g (4 oz) de sucre semoule

1/2 cuillerée à café de fécule

1/2 cuillerée à café de vinaigre de vin

Pour la garniture

160 g (2/3 tasse) de crème fraîche épaisse

270 g (9 oz) de fraises

2 pépites de chocolat

1 morceau d'angélique confite

1 Préchauffez le four à 150 °C (300°F). Posez une feuille de papier sulfurisé sur une plaque.

2 Montez les blancs d'œufs en neige ferme, en ajoutant peu à peu le sucre, par cuillerées à café. Continuez de battre jusqu'à obtention d'une neige homogène et luisante.

3 Mélangez la fécule et le vinaigre. Incorporez-les aux blancs d'œufs.

4 Moulez avec une poche à douille de taille moyenne 6 toutes petites meringues pour bébé ; et pour l'enfant, un escargot avec une coquille d'environ 6 cm (2 1/2 po) de diamètre.

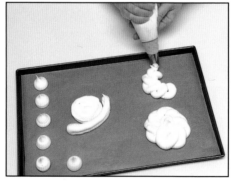

5 Avec le reste des blancs en neige, moulez 2 meringues rondes tressées de 10 cm (4 po) de diamètre environ. Faites cuire au four pendant 20 à 25 minutes. Détachez les meringues du papier et laissez-les refroidir.

ASTUCE

Pour obtenir des meringues parfaites, montez les blancs d'œufs dans un bol bien sec. Éliminez toute trace de jaune d'œuf avec un morceau de coquille. Fouettez jusqu'à ce que la neige soit ferme, mais encore onctueuse. Introduisez le sucre graduellement et continuez de fouetter jusqu'à obtenir une neige très ferme. Vous pouvez confectionner les meringues 1 ou 2 jours à l'avance. Gardez-les au sec.

6 Montez la crème fraîche en chantilly. Nappez-en les deux grandes meringues et l'escargot, en réservant un peu de crème pour bébé.

7 Lavez et équeutez les fraises. Coupez-les en tranches fines et disposez quelques-unes de ces tranches sur la coquille de l'escargot. Ajoutez des pépites de chocolat pour les yeux et un petit morceau d'angélique confite pour la bouche.

8 Posez quelques fraises sur les grandes meringues. Hachez ou réduisez en purée quelques autres morceaux de fraises et incorporez à la crème réservée pour bébé. Versez le tout dans un bol et servez avec les toutes petites meringues.

Poires au sirop

3 poires bien mûres
50 cl (1 7/8 tasse) de jus de pomme
1 cuillerée à café de gélatine en poudre
gouttes de colorant alimentaire vert
zeste de 1/2 orange non traitée
zeste de 1/2 citron non traité
2 cuillerées à café de gingembre confit grossièrement haché
1 cuillerée à café de miel
1 cuillerée à café de fécule
1 lacet de réglisse rouge
2 petits raisins secs
1 gros raisin sec
1/2 cerise confite

1 Épluchez les poires en en gardant la queue. Videz le centre de 2 poires avec un petit couteau.

2 Coupez en deux la troisième poire, ôtez le trognon et la queue. Mettez toutes les poires dans une casserole avec le jus de pomme. Portez à ébullition, couvrez et laissez cuire 5 minutes à petit feu, en retournant les poires une fois.

3 Retirez de la casserole les moitiés de poires, réservez. Laissez les poires entières cuire encore 5 minutes environ, jusqu'à ce qu'elles soient moelleuses à souhait. Sortez-les avec une écumoire et posez-les sur un plat, en réservant le jus de cuisson. Hachez finement l'une des moitiés de poire et mettez dans un bol pour bébé. Réservez l'autre moitié à l'intention de l'enfant.

4 Dans un bol, versez la moitié du jus réservé. Placez le bol dans un bain-marie frémissant, ajoutez la gélatine et mélangez jusqu'à ce que celle-ci soit complètement dissoute. Transvasez dans un verre gradué. Versez la moitié du mélange sur les poires hachées et réfrigérez.

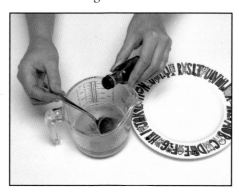

5 Ajoutez éventuellement quelques gouttes de colorant vert dans le reste du mélange de jus et de gélatine. Versez dans un petit plat creux ou une petite assiette à l'intention de l'enfant. Réfrigérez.

6 Découpez les zestes de l'orange et du citron en très fines lanières. Ajoutez au reste de jus réservé avec le gingembre et le miel. Faites cuire à tout petit feu 5 minutes, pour bien ramollir l'écorce.

7 Mélangez la fécule avec un peu d'eau. Versez-la dans la casserole, portez à ébullition et laissez cuire en remuant, jusqu'à ce que la sauce épaississe. Versez sur les poires entières et laissez refroidir.

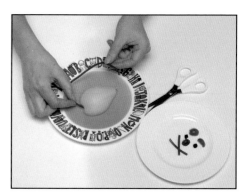

8 Sur la gelée verte, posez à plat la moitié de poire destinée à l'enfant. Pour figurer une souris, ajoutez un morceau de lacet de réglisse rouge pour la queue et deux morceaux de ce même lacet pour les moustaches. Entaillez légèrement deux fentes pour les yeux et posez un raisin sec dans chaque fente. Ajoutez un gros raisin sec pour le nez. Coupez en deux la cerise confite, et faites-en les oreilles. Servez légèrement glacé, avec ou sans crème fraîche pour les adultes.

Tarte aux pêches et aux amandes

Pour la pâte :

230 g (6 oz) de farine
6 cuillerées à soupe de beurre

Pour la garniture :

4 cuillerées à soupe de beurre
60 g (2 oz) de sucre semoule
1 œuf
gouttes d'extrait d'amande
160 g (6 oz) d'amandes en poudre
2 cuillerées à soupe de confiture d'abricots
1 cuillerée à soupe d'écorce de citron confite, hachée
360 g (14 oz) de pêches au sirop
1 cuillerée à soupe d'amandes effilées
1 cuillerée à soupe de yaourt nature
sucre glace
crème fraîche ou yaourt nature, pour servir

1 Dans une terrine, mettez la farine et le beurre coupé en petits morceaux. Incorporez en frottant avec les doigts jusqu'à ce que le mélange ressemble à de fines miettes de pain.

2 Ajoutez 6 à 7 cuillerées à café d'eau, et mélangez pour former une pâte lisse et homogène. Pétrissez légèrement, puis abaissez finement sur un plan de travail fariné.

3 Soulevez la pâte avec le rouleau à pâtisserie et disposez-la dans un moule à tarte, en pressant sur les bords du moule. Ôtez le surplus de pâte.

4 Abaissez à nouveau le surplus de pâte, et découpez-y 12 ronds avec un emporte-pièce. Disposez ces ronds dans des moules à tartelettes. Réfrigérez la pâte pendant 15 minutes.

5 Préchauffez le four à 190 °C (375°F). Recouvrez le grand moule d'une feuille de papier paraffiné recouverte de haricots secs. Faites cuire le fond de tarte au four pendant 10 minutes. Retirez les haricots et le papier paraffiné, et laissez cuire encore 5 minutes.

6 Pendant ce temps, confectionnez la garniture. Dans une terrine, travaillez le beurre et le sucre jusqu'à obtention d'une crème légère et mousseuse. Battez les œufs et l'extrait d'amande, puis incorporez délicatement le mélange de beurre et de sucre. Ajoutez les amandes en poudre et réservez.

7 Étalez la confiture en une fine couche dans la tarte et les tartelettes. Parsemez avec de l'écorce confite. Nappez avec le mélange d'amandes et égalisez la surface.

8 Égouttez les pêches. Réservez-en trois quartiers pour bébé. Coupez trois autres quartiers en petits morceaux à répartir dans six des tartelettes.

9 Disposez le reste de quartiers de pêches sur la tarte. Parsemez avec les amandes effilées.

10 Cuisez au four 10 minutes pour les tartelettes et 25 minutes pour la tarte. Il faut que la garniture gonfle et dore. Saupoudrez la tarte avec du sucre glace et laissez refroidir.

11 Réduisez en purée les pêches destinées à bébé. Mélangez avec du yaourt nature et versez dans un bol. Servez avec deux tartelettes à la confiture.

12 Pour l'enfant, disposez quelques tartelettes aux fruits sur une petite assiette. Découpez la tarte en plusieurs parts et servez aux adultes avec de la crème fraîche ou du yaourt nature. Vérifiez, avant de servir, la température des tartelettes destinées aux enfants.

Mousse au miel et aux fruits des bois

2 cuillerées à café de gélatine
  en poudre

625 g (1 1/4 lb) de mélange de fruits
  des bois surgelés (décongelés) ou de
  baies fraîches, lavées et équeutées

4 cuillerées à café de sucre semoule

625 g (1 1/4 lb) de yaourt nature

160 g (2/3 tasse) de crème
  fraîche épaisse

5 cuillerées à café de miel liquide

3 Dans un ramequin destiné à bébé, disposez alternativement des couches de yaourt nature et de purée de fruits. Mélangez avec une petite cuillère. Réfrigérez.

4 Pour l'enfant, réduisez en purée 60 g (2 oz) de fruits avec un peu de sucre. Dans un autre bol, ajoutez 1 cuillerée à café de sucre à 4 cuillerées à soupe de yaourt nature. Incorporez-y 2 cuillerées à café de purée de fruits.

6 Pour les adultes, montez la crème en chantilly. Incorporez le reste de yaourt nature et le miel. Ajoutez le reste de gélatine. Versez dans deux moules à charlotte de 25 cl (1 tasse) et laissez prendre au réfrigérateur.

1 Dans une coupelle, versez 2 cuillerées à café d'eau. Ajoutez la gélatine, en veillant à ce qu'elle soit bien recouverte d'eau. Laissez tremper 5 minutes. Versez la gélatine dans une casserole d'eau frémissante et laissez-la jusqu'à ce qu'elle soit complètement dissoute et que le liquide soit clair. Laissez tiédir.

2 Pour bébé, réduisez en purée 60 g (2 oz) de fruits. Incorporez 1 cuillerée à café de sucre. Dans un autre bol, mélangez 3 cuillerées à soupe de yaourt nature à 1 cuillerée à café de sucre.

5 Ajoutez 1 cuillerée à café de gélatine dissoute à la purée de fruits, et 1 cuillerée à café de gélatine au mélange de yaourt. Versez le mélange de fruits dans le fond d'un verre et laissez prendre au réfrigérateur.

7 Versez le reste de mélange de yaourt sur la couche de fruits dans le verre destiné à l'enfant. Laissez prendre au réfrigérateur.

8 Au moment de servir, plongez dans l'eau chaude l'un des moules destinés aux adultes. Comptez jusqu'à 15, puis démoulez soigneusement et renversez sur une grande assiette. Faites de même avec l'autre moule. Décorez avec le reste de fruits et leur jus.

ASTUCE

Si vous disposez d'un petit moule amusant, vous préférerez peut-être l'utiliser pour l'enfant, à la place d'un verre ou d'un gobelet. Veillez à ce que la gélatine ne soit pas trop chaude quand vous l'incorporez au yaourt, autrement celui-ci pourrait cailler.

Soupe de fruits au gingembre

Pour la crème au gingembre

160 g (6 oz) de crème fraîche épaisse
1 cuillerée à soupe de gingembre confit haché
zeste râpé de 1 orange non traitée

Pour la soupe de fruits

2 oranges
4 bananes
60 g (2 oz) de dattes dénoyautées
2 cuillerées à soupe de raisins secs
2 cuillerées à soupe de beurre
3 cuillerées à soupe de sucre roux en poudre
2 cuillerées à soupe de Cointreau ou de cognac
glace à la vanille, pour servir

3 Épluchez les bananes et coupez-les en rondelles. Hachez les dattes. Sur une assiette destinée à bébé, disposez des quartiers d'orange, des rondelles de banane, des morceaux de datte et quelques raisins secs.

5 Pour les adultes arrosez de Cointreau ou de cognac les fruits dans la poêle. Portez à ébullition. Flambez. Mettez la soupe de fruits sur un plat de service dès que les flammes commencent à faiblir. Servez avec de la crème au gingembre. Ajoutez dans le bol destiné à l'enfant une boule de glace à la vanille.

1 Préparez d'abord la crème au gingembre. Montez la crème en chantilly très ferme. Hachez finement le gingembre et incorporez-le à la crème ainsi que le zeste d'orange. Versez dans une petite coupelle.

4 Dans une poêle, faites fondre le beurre, ajoutez le reste de fruits et faites sauter 2 minutes. Incorporez alors le sucre et laissez cuire encore 2 minutes pour faire légèrement brunir le mélange. Disposez quelques morceaux de fruit dans un bol à l'intention de l'enfant.

ASTUCE

Le flambage des plats, toujours spectaculaire, ne doit présenter aucun problème. Le secret consiste à verser l'alcool sur un liquide chaud, ramener à ébullition, puis frotter rapidement une allumette et reculer. Les flammes disparaissent en une ou deux minutes. Mais si vous voulez les éteindre, il suffit de poser un couvercle sur la casserole.

2 Coupez le haut et le bas de chaque orange, puis épluchez-les. Séparez-les en quartiers et ôtez les pépins.

INDEX